D0245705

AVEC UN GRAND A

ROMAN

De la même auteure

La Vieillesse par une vraie vieille, Libre Expression, 2016.

Lit double 3, roman, Libre Expression, 2014 ; collection « 10 sur 10 », 2016.

Lit double 2, roman, Libre Expression, 2013 ; collection « 10 sur 10 », 2015.

Lit double 1, roman, Libre Expression, 2012 ; collection « 10 sur 10 », 2015.

Ti-Boutte, album littérature jeunesse, Éditions de la Bagnole, 2010.

Le Cocon, roman, Libre Expression, 2009 ; collection « 10 sur 10 », 2013.

Le Bien des miens, roman, Libre Expression, 2007 ; collection « 10 sur 10 », 2012.

Les Recettes de Janette, cuisine, Libre Expression, 2005.

Ma vie en trois actes, autobiographie, Libre Expression, 2004 ; collection « 10 sur 10 », 2011.

Avec un grand A, Libre Expression, 1990.

JANETTE
BERTRAND

AVEC UN GRAND A

ROMAN

Une société de Québecor Média

Catalogage avant publication de Bibliothèque et Archives nationales du Québec et Bibliothèque et Archives Canada

Bertrand, Janette, 1925-
Avec un grand A roman
ISBN 978-2-7648-1242-6
I. Titre.
PS8553.E777A932 2017 C843'.54 C2017-941457-7
PS9553.E777A932 2017

Édition : Johanne Guay
Révision et correction : Marie Pigeon Labrecque et Julie Lalancette
Couverture et mise en pages : Chantal Boyer
Photo de l'auteure : Julien Faugère

Cet ouvrage est une œuvre de fiction ; toute ressemblance avec des personnes ou des faits réels n'est que pure coïncidence.

Remerciements
Nous remercions le Conseil des Arts du Canada et la Société de développement des entreprises culturelles du Québec (SODEC) du soutien accordé à notre programme de publication.
Gouvernement du Québec – Programme de crédit d'impôt pour l'édition de livres – gestion SODEC.
Financé par le gouvernement du Canada | Canada

Les Éditions Libre Expression
Groupe Librex inc.
Une société de Québecor Média
La Tourelle
1055, boul. René-Lévesque Est
Bureau 300
Montréal (Québec) H2L 4S5
Tél. : 514 849-5259
Téléc. : 514 849-1388
www.edlibreexpression.com

Dépôt légal – Bibliothèque et Archives nationales du Québec et Bibliothèque et Archives Canada, 2017

ISBN : 978-2-7648-1242-6

Distribution au Canada
Messageries ADP inc.
2315, rue de la Province
Longueuil (Québec) J4G 1G4
Tél. : 450 640-1234
Sans frais : 1 800 771-3022
www.messageries-adp.com

Diffusion hors Canada
Interforum
Immeuble Paryseine
3, allée de la Seine
F-94854 Ivry-sur-Seine Cedex
Tél. : 33 (0)1 49 59 10 10
www.interforum.fr

Je dédie ce roman à tous ceux et… à toutes celles qui ont un jour eu la tentation d'aller voir si l'herbe est plus verte chez le voisin.

Le moteur du petit tracteur à gazon envoie dans le corps de Simon des vibrations qui le font délicieusement bander. C'est un dimanche matin de début de juin, radieux.

Simon se demande s'il est le seul à qui la tondeuse fait de l'effet. Et puis il pense à tout ce qui lui fait de l'effet. Après deux minutes de rêveries inavouables, il secoue la tête. Il aime sa femme, Ariane. Il lui est fidèle, mais ça ne l'empêche pas de la tromper en pensée. Quel homme peut jurer sur la tête de sa mère qu'il n'a jamais trompé en pensée la femme qu'il aime ? Simon est un champion rêveur érotique : en rêve, rien ne lui résiste ni personne, mais en ce moment il préfère jouir de sa demi-érection et garder ses fantasmes pour cet après-midi, seize heures, quand il devra avoir recours à eux pour faire l'amour à sa femme. Après plus de quinze ans de nuits communes, si tu n'as pas de fantasmes... D'ailleurs, où commencent-ils et où s'arrêtent-ils ? Y en a-t-il des bons et des mauvais ? Lui a trouvé une bonne recette pour éloigner ce qu'il appelle ses démons imaginaires : faire une liste de ce que tu as pour te faire accepter ce que tu n'as pas.

Il a toujours voulu avoir une maison immense avec piscine, pelouse et garage double comme celle où il a toujours vécu. C'est fait, il habite depuis peu la maison familiale transformée en résidence intergénérationnelle, ses parents étant parqués dans le garage double.

Il voulait une femme et des enfants. C'est fait. Lui qui a aimé vivre dans une famille traditionnelle, il en a une à lui maintenant. Une famille parfaite dont il est très fier. Une réussite.

Quinze ans, de nos jours, avec la même femme, c'est un record !

Pendant qu'il occupe son dimanche matin à quelques travaux virils, Ariane prépare les repas de la semaine. Elle n'est pas aussi bonne cuisinière que sa belle-mère, mais c'est mission impossible ; aucune femme ne peut faire la cuisine aussi bien que la mère d'un conjoint.

Il pense à ses deux enfants qui font leurs devoirs sur la table de la salle à manger, là où lui-même peinait sur les siens. Il pense à son père qui écoute la radio dans son appartement. Il est heureux dans cette continuité. C'est rassurant, la continuité, surtout quand on n'a pas le caractère à prendre des décisions rapidement. Vraiment, il ne manque qu'un chien à cette image de carte postale de leur bonheur conjugal, mais Ariane est allergique aux poils.

Mis à part le chien, je suis un homme comblé. J'ai tout pour être heureux et même plus, et si la tendance se maintient… comme dirait l'autre.

Quant à son commerce, tout va numéro un. C'est un magasin d'articles de sport en banlieue, mais Simon a des projets d'agrandissement qu'il réalisera quand son père… n'y sera plus. Pour devenir aussi puissant et aussi riche que ceux qui possèdent les grandes surfaces dédiées au sport. Il y a bien quelques nuages dans ce ciel bleu. Son père, Clément, souffre d'une maladie de la cornée et perd progressivement la vue. Il a dû cesser de tenir les rênes de son magasin et les a confiés à son fils unique. Le champ était libre et Simon n'avait qu'à continuer. Pas de décisions cruciales à prendre sur son avenir, la voie était toute tracée, il n'avait qu'à la suivre. C'est un magasin prospère, un des derniers magasins indépendants de sport qui sera à lui quand... Simon se projette dans son avenir comme un plongeur émérite saute de la plateforme de dix mètres. Tête première ! Bien sûr, il est encore plus ou moins sous la tutelle de son père, mais celui-ci aura bientôt soixante-huit ans, alors un jour...

Simon est heureux, il a la vie devant lui et il la connaît. Il va vieillir avec sa femme, les enfants vont partir de la maison, vont se marier, faire des enfants qui reprendront le magasin à leur tour. Il se voit grand-père, à la retraite visitant les terrains de golf du monde avec son petit-fils comme caddy. Il se voit mort, en cendres dans son urne. Ses amis et connaissances vantent ses belles qualités de bon mari et de bon père, d'honnête commerçant, de maire de la municipalité...

Connaître son avenir le rassure. Un peu plus, il aurait hâte d'être mort.

Simon n'est pas un intellectuel, loin de là, mais il lui arrive la nuit quand il fait de l'insomnie, et c'est fréquent depuis quelque temps, que des questions qu'il ne se pose pas le jour l'assaillent. *Je suis qui ?* Il jongle avec cette question sans trouver de réponses précises, mais quand il se demande : *Qu'est-ce que je veux ?* La réponse sort comme une balle de fusil.

Je veux être heureux. J'ai tout pour l'être. Mais est-ce que je suis vraiment heureux ? Est-ce que ma vie me satisfait pleinement ? Il me semble que je fais fausse route. Qu'il y a un autre chemin… Et si j'avais pas marié ma femme, si je n'avais pas d'enfants…

Il se sent enfermé, pour ne pas dire emprisonné.

Je me demande si j'ai assez profité de la vie, si j'en profite assez maintenant et si je vais assez en profiter plus tard. On dirait que je me suis installé dans la routine avec défense d'en sortir. Quand on est rendu à aller voir des blockbusters au cinéma pour éprouver des sensations fortes, c'est grave ! Pourquoi les humoristes ont tant de succès auprès des couples mariés ? Moi, je pense que, quand t'es marié et que t'élèves des enfants, tu ris plus, jamais, tu chicanes ! Élever des enfants sans les chicaner, ça relève du miracle. Est-ce que je me suis marié pour faire l'amour une fois par semaine, le dimanche à quatre heures ? Est-ce que j'ai fait des enfants pour qu'ils critiquent tout ce que je dis ou fais ? Je suis rendu que je doute de mes choix de vie ; le mariage, la paternité, le commerce.

La crise de la quarantaine le frappe en plein corps.

Il se sait en crise, mais il ne sait pas comment en sortir. Il ressent un puissant besoin de changement.

J'ai essayé de changer d'auto, ma femme a pas voulu, je me suis abonné pour un an au gym, ça n'a rien donné, j'ai cessé de m'y rendre au bout d'un mois. Quant à la famille : les enfants sont fins jusqu'à sept ans, après les parents de leurs copains sont toujours meilleurs. L'amour ? J'ai une femme merveilleuse, parfaite, une perle. Elle s'occupe de tout ce que je n'aime pas faire. C'est une bonne épouse, une bonne mère, je ne pourrais pas demander mieux. Je l'aime énormément, sauf qu'après la naissance de Victor, sept mois après le mariage, la passion a pris le bord. La passion qui rend aveugle, la passion qui nous fait décoller les pieds de la terre pour atteindre le septième ciel.

Pour se consoler, il revient à sa recette trouvée dans un livre de psycho-pop, *Count your blessings*, alors il fait une compilation de ses petits bonheurs. Il récapitule à mesure dans sa tête. Il coche.

J'ai… une femme, ma belle Ariane, grande, mince, sexy, blonde teinte, mais moi seul le sais, douce, pas soumise, une femme de tête et de cœur comme il ne s'en fait plus ; une femme d'une autre époque avec une apparence de vedette de cinéma. Pas de drame entre nous à propos de l'égalité entre homme et femme, du partage des tâches. On se complète. Elle vient d'un milieu défavorisé, ça fait qu'elle n'est pas gâtée pourrie. Elle est reconnaissante de m'avoir comme mari. La reconnaissance des femmes, c'est une vertu perdue. Elle apprécie la belle vie que je lui apporte. Il n'y en a plus, des femmes comme elle. Et elle m'aime. Moi aussi je l'aime… Ça doit ; je suis là après tout ce temps. Mais oui je l'aime, enfin je me vois pas avec une autre femme qu'elle. Ça doit être ça, l'amour après quinze ans de mariage. C'est sûr qu'il s'est établi une certaine routine dans notre couple, mais j'haïs pas ça, moi, la routine. À condition de fantasmer…

J'ai… deux enfants. Par chance, j'ai le couple, un garçon de quatorze ans – ben oui, la mère était enceinte quand je l'ai mariée –, une fille de dix ans, de beaux enfants intelligents, bien élevés, même si des fois…

Ben oui, je l'ai mariée « obligé », comme dit papa, qui exigeait que je prenne mes responsabilités. Je le sais pas si je l'aurais mariée si elle n'avait pas été enceinte. Moi je voulais l'avortement. Pas elle. Mais quand je vois Victor si brillant et si avancé pour son âge, je suis content qu'Ariane ait tenu son bout.

J'ai… une maison préhéritée de mon père : deux étages, une piscine, des laitues dans les bacs à fleurs, des fauteuils en faux rotin et un immense barbecue au gaz propane et au charbon de bois. Tout ça sur une terrasse en bois traité qui a coûté un bras à mon père.

J'ai… mon père. J'ai la chance d'avoir un père généreux, mais encombrant, haïssable, qui me traite encore comme si j'étais un adolescent. J'ai… une mère, absente, syndicaliste et féministe qui court les assemblées de je-ne-sais-quoi : chose certaine, elle est jamais là. Mon père dit que la maison lui brûle les fesses. Je suis même pas sûr qu'elle était si contente que ça de m'avoir. C'est mon père qui m'a élevé. J'admire ma mère comme femme, mais comme mère, je l'ai pas assez côtoyée pour me faire une idée.

J'ai… une carrière. Être gérant du magasin de mon père, est-ce bien une carrière ? Une carrière, c'est être docteur. J'aurais tant voulu faire des études en médecine, mais comme j'ai peur du sang… J'aime mon métier de vendeur parce que je travaille avec des êtres humains et j'aime les gens. J'aime communiquer, partager, et mon métier de vendeur me permet de connaître des gens passionnants parce que passionnés par un sport.

J'ai… tout pour être heureux et je ne le suis pas.

Je veux l'amour.

Il l'a, l'amour. Ça, il l'a. S'il a une certitude, c'est que sa femme l'aime, et ça devrait venir en premier sur la liste de ses bonheurs. Il a en plus celui de ses enfants, de son père, de sa mère, de ses employés, de ses clients.

Je suis l'homme le plus aimé sur la terre et pourtant je ne me sens pas comblé par cet amour. J'ai un manque, un vide à remplir. Pourtant, je suis un homme respecté et il est même question qu'à la demande générale je me présente comme maire de la petite ville où j'habite, je suis déjà conseiller municipal.

J'ai la chance de ressembler à Johnny Depp ; c'est ce qu'on me dit. Moi, je pense que je suis plus beau que lui, en tout cas plus grand. J'ai pas de mérite, je ne fais rien pour ça. J'ai de la personnalité : ce qui distingue mon petit magasin de sport des autres plus gros, c'est moi. Mes clients achètent chez moi pour moi, pour mes connaissances en sport, pour ma serviabilité, mon honnêteté, ma bonne humeur, mon charme, disons le mot. J'en suis conscient et je m'en vante pas. C'est comme ça, faut être réaliste : je connais presque intimement les anciens clients et je google les nouveaux afin de mieux les accueillir et les servir. J'aime le monde et le monde m'aime ; il y a juste moi qui ne m'aime pas.

Bon mari, bon père, bon fils, travaillant en plus d'être un pas pire beau garçon en pleine forme physique, qu'est-ce que je peux vouloir de plus ?

Être moi-même, calvaire !

Il arrête le moteur du tracteur à gazon, regarde sa montre Rolex *made in China.* Ses rêveries lui ont fait oublier son horaire du dimanche. C'est l'heure d'effectuer un plongeon dans la piscine creusée, de faire dix allers-retours à la brasse puis de passer sous la douche pour enlever le chlore de son corps. Ensuite, il va s'enduire de crème solaire – de la soixante sur le visage, et de la vingt sur les bras et les jambes –, puis il enfilera son bermuda et son t-shirt griffé, allumera le barbecue pour s'attabler à une heure pile, heure du repas dominical, et mangera les sempiternels hamburgers de plus en plus secs depuis qu'on a peur de tout ce qui est saignant. À deux heures, ce sera le moment de se glisser dans les belles chaises de faux rotin pour lire sur son iPad *La Presse+*, *Protégez-vous*, *Le Journal de Montréal*, parcourir ses courriels, *googler* un peu, passer le reste du temps sur Facebook avec ses 1 283 amis en sirotant un thé glacé.

Et comme chaque dimanche à quatre heures, il ira faire la sieste avec sa femme. Une fausse sieste parce que, depuis l'arrivée des enfants, Simon et Ariane font l'amour de quatre à cinq heures chaque dimanche après-midi, beau temps mauvais temps, qu'ils aient le goût ou pas. Une heure, c'est le temps alloué au sexe dans la semaine, programmé sur leurs téléphones intelligents. Une heure, ni plus ni moins, préliminaires, acte et sieste compris.

Il aurait souhaité un peu plus de spontanéité dans sa vie sexuelle, mais les deux conjoints travaillent, ils ont des enfants, et en plus ils s'occupent de Clément, le père de Simon, qui, même s'il est autonome, exige du temps, et de sa mère quand ils l'attrapent entre deux séances de bénévolat.

Une heure de sexe par semaine, c'est déjà bien après quinze ans de mariage. Non ? Oui ? Bien sûr, je pourrais déroger aux règles et faire l'amour quand ça me tente, mais le soir Ariane est trop fatiguée, et moi le matin je suis trop pressé. Une heure par semaine, c'est déjà mieux que la plupart de nos amis en couple.

Le couple se considère même comme chanceux de trouver ce trou dans son horaire surchargé, même si l'obligation de « performer » au lit envers et contre tout est un peu agaçante.

Après avoir effectué les gestes habituels de sa routine du dimanche, Simon appelle les enfants :

— Victor, Hortense. Quatre heures !

Victor, qui jouait dans la rue au hockey bottine avec les voisins, s'arrête pile. Leur père si doux d'habitude a pris sa grosse voix du dimanche.

— Victor, Hortense. Quatre heures !

Ce « quatre heures » tombe comme une pluie torrentielle au milieu d'une journée ensoleillée.

— Papa ! On joue, là !

— Victor ! Hortense !

— Nos amis, eux autres…

— C'est pas négociable !

Contrariés, les jeunes rentrent à la maison en se traînant les pieds, surtout Victor, qui en a marre de se faire traiter comme un bébé alors qu'il est presque un adulte.

Hortense réplique :

— Pourquoi faut toujours rentrer quand on s'amuse, p'pa ?

— Tu veux toujours qu'on joue dehors, là qu'on fait ce que tu veux, tu nous fais rentrer pour regarder un film. T'es pas cohérent.

Ça, c'est du Victor tout craché.

— Je veux que vous vous tranquillisiez avant le souper. Nous, on fait la sieste pour se calmer justement. À moins que vous préfériez faire la sieste chacun dans votre chambre.

Être moi-même, ce serait d'être capable de dire la vérité à mes enfants. « Papa et maman s'en vont faire l'amour dans leur chambre, c'est pour ça, le film, pour que vous nous laissiez tranquilles une heure. » On leur ment depuis longtemps. Et on se surprend quand eux ne disent pas la vérité.

Le poulet cacciatore cuit dans la mijoteuse Ricardo. Simon monte à sa chambre.

Hortense, en boule sur le sofa de cuir du sous-sol, suce son pouce. Ce qu'elle fait rarement devant son grand frère, gardant ce plaisir pour le soir dans sa chambre avant de s'endormir. Mais quand elle se sent victime d'une injustice, elle tète son pouce comme d'autres fument ou mangent du chocolat. Elle fulmine.

C'est encore un film de garçons! Toujours des films de garçons. Pourquoi, mon frère, c'est toujours à lui de choisir le film? Parce qu'il est né quatre ans avant moi? À moins que ce soit parce qu'il est garçon et moi fille, et que les garçons, c'est plus important que les filles?

Pour se consoler, elle attaque son frère.

— Je vais le dire à papa que tu choisis toujours des films que j'aime pas.

— Je vais le dire à maman que tu suces ton pouce.

— Si tu le dis, je vais dire que t'es amoureux de Tia à ton école.

— Je suis pas amoureux.

— Je t'ai vu…

— T'as vu quoi?

— Tu le sais.

— Non, je le sais pas.

— Des choses…

— T'as rien vu parce qu'il s'est rien passé entre Tia et moi.

Il ment, bien sûr. Il tient la main de Tia, la seule fille qui s'intéresse à lui, dès qu'il le peut, et il l'embrasse.

— Même si je l'avais frenchée, qu'est-ce que ça peut te faire?

— Je vais lui dire que tu l'as forcée à t'embrasser. Puis quand une fille dit non, c'est non!

Cette phrase, c'est sa grand-mère qui l'a imprimée dans sa tête en la lui répétant depuis sa naissance. Simon l'a apprise de sa mère. Il a une peur bleue des prédateurs pour sa fille. Il connaît les hommes… il en est un.

— Qui te dit qu'elle a dit non ? Qui te dit que c'est pas elle qui m'a frenché ? Hein ? Hein ? Hein ?

Comme son frère est plus vieux, il est plus astucieux et il en profite. Hortense ne sait que répéter :

— Je vous ai vus, bon, c'est toi qui as sauté sur elle.

— Tu m'as pas vu.

— Je t'ai vu.

— Alors t'as mal vu, c'est elle qui s'est jetée sur moi. Puis je peux pas dire non, je suis pas une fille, moi.

— …

Hortense a le bec cloué par le raisonnement fallacieux de son frère.

Simon apparaît en haut de l'escalier du sous-sol.

— Le dimanche, les enfants, juste le dimanche, vous pourriez pas faire relâche ?

— C'est pas moi, c'est lui !

— C'est pas moi, c'est elle !

— Pas de chicane !

— On se parle, on se chicane pas. Tout le monde se parle de même.

— Votre mère et moi, on se parle pas sur ce ton-là.

— Vous êtes pas frère et sœur. Ma sœur, je l'ai pas choisie.

— Moi non plus, j'ai pas choisi mon frère…

Simon hésite. Si la chicane continue, ça va mal tourner et un des deux viendra frapper à la porte de chambre de leurs parents pour les prendre à témoin de la flagrante injustice dont ils sont victimes.

— Va, papa, ta femme t'attend, dit Victor pour couper court.

Pris au dépourvu, Simon réplique :

— Votre mère m'attend pas, elle dort, puis moi aussi je voudrais dormir. J'ai-tu le droit ?

Victor sait, d'aussi loin qu'il se souvienne, qu'il ne faut pas mettre son père en colère le dimanche après-midi, mais la tentation est forte d'étaler ses connaissances de la vie devant sa sœur et ainsi lui montrer qu'il est beaucoup, beaucoup plus âgé qu'elle.

— Comme si je savais pas que le dimanche après-midi vous faites l'amour, maman puis toi.

Simon, surpris, prend le parti de l'ignorance :

— Je sais pas ce que tu veux dire, Victor.

Hortense, debout sur le canapé, saute à pieds joints.

— Je le sais ! Je le sais ! Entre quatre et cinq, le dimanche, papa puis maman ils font pas l'amour, ils font des bébés !

Hortense est fière d'elle. Elle continue à sauter sur le canapé en s'exclamant :

— Une petite sœur ! Une petite sœur !

Simon l'attrape par le bras et la force à se tenir tranquille.

— On fait pas de bébé, on fait… la sieste. On a le droit de faire la sieste le dimanche de quatre à cinq, jamais je croirai…

Du haut de ses quatorze ans, Victor affirme avec force :

— Vous faites l'amour !

On devrait envoyer avec chaque enfant qui naît un mode d'emploi.

— On fait pas… on se repose.

— Tu barres la porte pour te reposer ? Pourquoi le dimanche de quatre à cinq et pas la nuit ?

Il ne reste à Simon que l'autorité parentale pour se défendre :

— C'est quoi, ça, là ? Un interrogatoire de police ?

Hortense, pour suivre l'exemple de son grand frère qu'elle admire dans le fond, réplique :

— Pourquoi tu te fais la barbe, papa, puis que tu te parfumes pour te reposer ?

— C'est pas du parfum ! Tu sauras que je me parfume pas, je mets de l'après-rasage parce que j'ai la peau fragile.

Victor ne lâche pas le morceau :

— Pourquoi maman, elle, elle se parfume pour se reposer ?

Simon ne peut pas répondre, il se réfugie encore dans la supériorité que lui confère son rôle de père :

— Des « Pourquoi ? », j'en entends toute la semaine au magasin. Ça fera, les enfants, hein, je veux plus entendre un mot.

Victor, qui sent la vulnérabilité de son paternel, en profite :

— Papa, il y a une loi dans la maison : pas de mensonges. C'est une loi ou c'est pas une loi ?

Simon se demande pourquoi les bébés ne restent pas bébés jusqu'à leur départ de la maison.

— C'est une loi, oui…

— Alors, pourquoi tu dis que tu fais la sieste alors que la vérité c'est que tu couches avec ta femme ?

— Oui, hein ?

Hortense se range du côté de son frère pour une fois.

Simon sait que dans une minute ou deux il va trouver une réponse intelligente digne des psychologues pour enfants, et il reste là au milieu du sous-sol à l'attendre, mais comme elle ne vient pas, il décide de fuir lâchement, alors il tourne le dos à ses enfants et grimpe l'escalier sans dire un mot. Il jette un dernier regard vers eux et lance :

— Un père a pas à se justifier.

Mais il sait très bien qu'il passe son temps à se justifier.

Mon père n'aurait pas supporté que je lui parle sur ce ton-là. Lui, c'est un vrai père. Mais si je suis pas un vrai père, qui je suis ?

Il lui arrive de se plaindre de la routine, de la monotonie de sa vie. Il lui arrive de vouloir changer d'identité pour expérimenter de nouvelles aventures, mais il hésite. Briser le charme, briser le calme, briser ce qui fonctionne si bien lui semble insensé et il est reconnu pour être un homme sensé, les deux pieds bien ancrés sur terre.

Vivement la baise et que le dimanche finisse !

Il a honte de cette pensée, mais il doit admettre que le désir n'est plus au rendez-vous comme avant la naissance des enfants et qu'aujourd'hui en particulier il s'en passerait.

Je vais dire à ma femme que les enfants savent qu'on fait pas la sieste, mais l'amour. Parler des enfants va la refroidir. Elle va comprendre que je n'ai pas le goût, à cause des enfants. Je comprends bien, moi, quand elle a mal à la tête. O.K., j'entre et je lui dis : « Ça me tente vraiment pas de faire l'amour après-midi. »

Il tourne la poignée de porte de la chambre, elle est verrouillée de l'intérieur. Il entend sa femme qui chuchote, jouant les endormies :

— Maman fait dodo !

— C'est moi ! Ouvre !

Ariane entrouvre la porte, sort une main puis un bras comme elle l'a vu faire dans les séries à la télé et agrippe son mari par le t-shirt. Une fois qu'elle l'a tiré à l'intérieur, elle le pousse sur le lit.

Simon remarque qu'Ariane a placé le miroir sur pied de façon qu'ils puissent se regarder faire l'amour. Elle cache sous ses airs distingués de professionnelle, d'épouse et de mère parfaite des désirs qui lui apparaissent excentriques. Chaque semaine pour exciter son mari, elle pimente leurs préliminaires de détails émoustillants, les uns achetés dans les magasins spécialisés, les autres empruntés à ses collègues féminines, toutes adeptes de jeux sexuels pour ranimer l'oiseau piteux. Ariane, que le miroir excite, lumineuse et nue, enduite de crème hydratante et aspergée de deux ou trois gouttes de vanille aux endroits précis où elle aime être léchée, se couche sur le dos, les bras au-dessus de la tête, position idéale pour relever ses seins que l'allaitement des deux enfants a un peu avachis.

Elle sent une légère hésitation chez son mari. Elle cache sa nudité avec un coin du drap. Simon s'assoit nu à ses côtés, les jambes croisées pour cacher l'oiseau qui ne veut pas roucouler. Il lui embrasse le bout du nez pour qu'elle sente bien qu'il l'aime. Il soupire en déclarant :

— Ça devient de plus en plus compliqué…

— Faire l'amour avec moi ?

— Non ! Non ! Faire l'amour le dimanche après-midi…

Elle le regarde, ne comprend pas.

— Tu m'aimes plus ?

— Non ! Qu'est-ce que tu penses ? C'est… les enfants…

— Quoi, les enfants ?

— Quand ils étaient petits, on faisait la sieste en même temps qu'eux, mais là… On aurait dû faire l'amour à matin avant qu'ils se réveillent.

— Le matin, j'aime pas ça. L'haleine ! Le soir, je suis trop fatiguée. Quand tu me rejoins, je dors. Il y aurait le samedi, moi je voudrais, mais t'es épuisé de ta semaine. Il reste quand ?

— C'est plus comme avant. Tu te souviens quand on faisait l'amour trois fois par jour, partout où il y avait de la place ? Là, pourquoi il nous faut un lit, une heure, un jour précis ?

— C'est peut-être que tu m'aimes plus, que tu regrettes de m'avoir mariée.

Ce n'est pas une interrogation, c'est une constatation.

— Non, mon amour, non ! Jamais ! T'es la femme de ma vie. J'ai jamais aimé personne autant que toi, j'aimerai jamais une autre femme que toi. C'est toi, toi, toi. Je t'aime, mon amour ! Oh, que je t'aime !

Il se sent coupable de ne pas la désirer. Si son pénis était un pneu, il lui mettrait de l'air.

Il la prend dans ses bras, la serre contre lui ; il l'embrasse partout, s'attarde là où il sait par expérience qu'elle va perdre la tête et se jeter sur lui pour qu'il la conduise plus loin, jusqu'à la jouissance. Il aperçoit ses yeux inquiets dans le miroir, il les ferme et se concentre sur son plaisir à elle.

Hortense, dans le sous-sol, s'est assise sur son pouce droit pour l'empêcher de rejoindre sa bouche et regarde le gauche avec convoitise. Le film est terminé. Elle se lève.

— Moi, je monte.

Rien ne fixe son attention, d'autant plus que Victor, zappette dans les mains, s'amuse maintenant à sauter d'une chaîne à l'autre sans arrêt. Elle s'inquiète.

— Il est quelle heure ?

Hortense a hérité de sa mère la manie des horaires.

— Six heures moins dix.

— Ils sont restés pris!

Son frère se met à rire de son ignorance de fille de dix ans. Hortense, qui sent toujours le besoin de damer le pion à son frère, prend une grande respiration et sur le ton de la confidence:

— Ris pas. L'été dernier, à Cape Cod, sur la plage, j'ai vu deux chiens qui faisaient tu sais quoi, et ils étaient pris, pas capables de se déprendre. Moi, je faisais semblant de dessiner, mais je voyais tout, puis j'ai vu un monsieur aller chercher une chaudière d'eau de mer puis il les a aspergés puis ils étaient dépris.

Victor a l'air sceptique. Il ne croit jamais sa petite sœur, c'est un principe chez lui.

— T'inventes ça!

— Non!

— Me vois-tu arriver dans la chambre des parents avec une chaudière d'eau?

Ils rient.

Victor regarde l'horloge ancienne du sous-sol. Décidément, cette famille a l'obsession de l'heure.

— Mais qu'est-ce qu'ils font tout ce temps-là? Moi, je vais cogner à leur porte. Comme c'est là, je pourrai pas aller retrouver mes amis après le souper.

— Ouais, c'est vrai. Ils ont dépassé l'heure. Vas-y!

— Non, pas moi, toi, ils te chicanent pas, le chouchou.

Hortense sait que son frère la manipule, mais elle préfère la manipulation à l'indifférence.

— O.K. d'abord.

Avant de monter la première marche de l'escalier, elle demande:

— Victor, s'ils sont pris, qu'est-ce que je fais ?

— Ils sont pas pris.

— Comment peux-tu en être certain ?

— Parce que c'est pas comme ça que les humains font l'amour.

— C'est comment ?

— T'es trop jeune. Wouche, wouche, va !

— Sais-tu ce que je pense ?

— Je veux pas le savoir.

— Je pense que papa et maman, ils font pas l'amour, ils font juste la sieste.

— On serait pas là s'ils faisaient jamais l'amour ! Nounoune !

Hortense déteste qu'on lui fasse sentir son infériorité. Elle fusille son frère de ses yeux bleu banquise.

— Si t'es si intelligent, fais tes commissions toi-même.

Elle s'assoit pour bouder. Avant, elle pleurait. Plus elle pleurait, plus son frère la taquinait. Elle a compris récemment en observant sa mère que le silence a plus de pouvoir que les larmes. Pour Victor, c'est clair, une sœur plus jeune, on se doit de la taquiner à mort. C'est dans l'ordre des choses. À son père qui lui demandait dernièrement de cesser de taquiner sa sœur, il avait répondu :

— C'est normal, elle est plus petite que moi.

Et il avait ajouté :

— Si c'était elle le garçon et moi la fille, elle serait toujours sur mon dos.

Simon n'avait pas su quoi répliquer. Il connaît l'art de la vente, il l'a appris à l'université. Il n'a pas suivi de cours pour élever les enfants, alors il improvise. S'il avait su que le beau bébé joufflu se transformerait en un adolescent baveux…

Victor se demande ce qu'il pourrait dire pour faire enfin pleurer sa sœur. Il entame une ritournelle :

— Moi, je sais comment les parents font l'amour, pas toi.

Il guette sa réaction. Rien, elle est de glace. Il prend un air protecteur :

— J'ai pas vu papa et maman, mais j'en ai vu des pareils sur mon ordi. C'est wow !

Hortense ne veut plus rien entendre, elle se bouche les deux oreilles avec ses mains et se met à chanter à tue-tête une chanson de Marie-Mai.

***

Le « kit », comme il appelle le monde dans lequel il vit, Simon l'a rêvé, espéré, réalisé. Jusqu'à ses quarante ans, il était bien dans son monde, il l'avait, le « kit ». Il avait trouvé son classeur, y avait collé lui-même l'étiquette : banlieusard. Être à l'abri dans une case, habiter un quartier où les maisons se ressemblent l'avait toujours rassuré. Bien sûr, sa maison est un peu différente des autres, mais son gazon est aussi vert, ni plus long ni plus court que les autres. Sa haie de cèdres est bien taillée, pas une branche ne dépasse, et quand il y en a une qui se pointe, vite le sécateur, comme on fait pour les gens qui sortent du moule. À l'automne, quand les feuilles envahissent les parterres, c'est à qui les enlèvera le plus rapidement et le mieux avec le dernier appareil acheté chez le quincaillier voisin. On est vite classé « cochon » quand les feuilles mortes traînent sur le terrain jusqu'à l'hiver. Eux, ils ont une piscine creusée, ils se doivent de donner l'exemple. Dans les banlieues, il y a ceux qui ont une piscine creusée et ceux qui ont une piscine hors terre, ils ne se fréquentent pas, ils ne sont pas de la même caste.

Simon reconnaît avoir fait des études en gestion et commerce pour travailler au magasin de son père afin de lui faire plaisir, il est conscient qu'il a épousé une camarade du cégep parce qu'elle l'a choisi, qu'il l'a courtisée, puis l'a demandée en mariage par sens du devoir, qu'il a des enfants parce qu'elle en voulait. Il sait qu'il est incapable de faire des choix par peur de se tromper. Les défis l'empêchent de dormir, alors il s'en prive. L'aventure qui supposément est de l'autre côté de la rue lui fait peur, alors il reste sur son bout de trottoir en toute sécurité, mais il s'ennuie. Oh ! qu'il s'ennuie ! On peut être occupé et s'ennuyer.

Il remarque que ses clients masculins et ses fournisseurs se plaignent de leurs conjointes jamais satisfaites, lui il satisfait sa femme. Que demander de plus ?

Simon est né indécis, incertain, hésitant, c'est pourquoi il s'est toujours arrangé pour trouver quelqu'un qui déciderait de sa vie à sa place. Il a laissé ses parents puis après sa femme mener sa vie. Il a même trouvé du bonheur à éviter les conflits. Ce n'est que depuis quelques semaines qu'il se remet en question.

À la puberté, Ariane était là, à portée de mes yeux ; nos cours arrière de maison se touchaient. On a fréquenté la même école secondaire, le même cégep. Nos parents se connaissaient. On s'est perdus de vue pendant quelques années, mais quand on s'est retrouvés, dans la vingtaine, c'était pour ne plus se quitter. Selon Ariane, notre amour était écrit dans le ciel. On était faits l'un pour l'autre. On avait trouvé chacun la moitié qu'on cherchait. Quand elle est devenue enceinte, ce n'était pas prévu, mais j'ai pris mes responsabilités en la mariant comme tout honnête homme. J'étais content de me marier avec elle. Je peux dire que j'ai été heureux. Pourquoi j'y pense au passé ? Je me demande ce que je peux vouloir de plus. Ariane et moi, on est un couple solide, indestructible.

Simon s'est fait vasectomiser à trente-cinq ans. C'était sa décision plus que celle de sa femme. Il a la vraie petite famille solide comme un roc. Il y a juste que des fois le roc s'avère être un volcan, et que le volcan, parfois, ça fait éruption.

***

Le dimanche soir, après la sieste des parents, c'est l'heure du barbecue partout dans la banlieue. Les épouses, tannées d'avoir cuisiné toute la semaine, s'en remettent aux hommes pour faire au moins le souper du dimanche. De la viande, de la viande, de la viande. Saucisses et bière pour la caste des piscines hors terre ; steak, poulet en crapaudine et vin pour celle des piscines creusées.

Simon est fier de son nouveau barbecue chromé, de la puissance de ses BTU. Mille deux cent quatre-vingts, ce n'est pas rien. Ariane, fière de son nouvel extracteur à jus électrique acheté en ligne sur son iPad, va leur faire découvrir sa dernière trouvaille : les jus verts.

— Des algues, du chou kale avec du chia et du chanvre.

Un « ouache » s'échappe des bouches en même temps, comme un boulet de canon. Simon est content d'avoir l'appui de ses enfants. Ainsi, il n'est pas le seul à craindre le changement.

— C'est bon pour la santé et ça compense pour la viande que tu nous fais bouffer, mon amour.

— Ah, si c'est bon pour la santé...

Il s'envoie le jus vert d'un trait. Il a des convulsions. Il s'étale, langue verte sortie, de tout son long aux pieds de sa femme qui pâlit même si elle sait que ce n'est pas possible qu'il s'empoisonne avec des algues achetées chez son naturiste, selon les conseils de sa naturopathe.

Le père se relève, très satisfait de son numéro de comique.

— Insignifiant !

Est-elle fâchée pour vrai ou joue-t-elle la comédie elle aussi ?

La petite Hortense a cessé de rire. Elle s'affole dès que la tension monte entre ses parents.

— Je vais en boire, moi, maman !

Elle prend le verre que sa mère lui tend et trempe le bout de sa langue dans le jus, comme on met son gros orteil dans l'eau du bain pour en tester la température, puis elle avale la boisson à petites gorgées en mimant que c'est bon. Comme l'attention des parents est accaparée par sa sœur, Victor veut au plus vite attirer leurs regards sur lui.

— Les algues, c'est une boisson de filles. Nous autres, les gars, on boit pas ça. Hein, papa ?

Simon ignorait avant d'avoir des enfants que chacun de ses gestes serait analysé, jugé, jaugé et que sa progéniture s'en servirait pour les opposer, lui et sa femme.

Avant la naissance des enfants, c'était l'amour fou, la passion, le sexe, les cris de jouissance à travers l'appartement. Pourquoi le désir d'enfant d'Ariane est-il venu gâcher l'état d'euphorie dans lequel je nageais ?

Il croyait alors fermement que leur amour aplanirait toutes les difficultés que peuvent vivre les parents. Il avait vu les enfants de leurs amis qui se comportaient comme des tyrans envers leurs parents, mais encore là il était persuadé que lui il saurait les élever correctement. Il avait échoué, croyait-il. Il n'y arrivait pas. Les enfants rêvés étaient disparus, laissant la place à des enfants ordinaires.

Les parents de Simon s'amènent à la grande maison pour partager comme à l'accoutumée le repas du dimanche soir sur la terrasse devant la piscine. Ils ont apporté une bouteille de vin rosé. Simon n'aime que le vin rouge. Ariane ne boit que du blanc, mais comme c'est l'été les parents s'obstinent à apporter du vin rosé déjà ouvert, prêt à être dégusté.

Le souper débute avec cette frustration, et ce ne sera pas la seule. Comme chaque fois, les hommes vont discuter commerce entre eux près du barbecue. Ariane voudra confier aux convives ses misères et ses succès d'orthophoniste, mais ça n'intéressera personne. Sa bellemère, Gisèle, finira par se sacrifier et écoutera distraitement sa belle-fille parler des enfants qu'elle traite et aime comme s'ils étaient les siens. Les enfants mangeront à toute vitesse et demanderont de quitter la table pour aller retrouver leurs amis respectifs dans le petit parc d'en face, jusqu'à la noirceur pour Hortense, plus tard pour Victor. Le repas va traîner. Les hommes se lèveront pour continuer la conversation en marchant pour digérer, les femmes vont desservir, rincer les assiettes et les mettre ensuite au lave-vaisselle. Elles ne parleront pas de choses importantes, de peur d'ébranler leur relation si fragile. La soirée va s'étirer… Les conversations vont s'épuiser.

Il est vingt-deux heures trente et les grands-parents sont partis. Les enfants sont dans leur chambre.

Hortense dort, Victor texte sur son iPhone. Simon est déjà couché.

Pourquoi la semaine passe-t-elle si vite et les dimanches sont-ils si longs?

Ariane, enduite de crème du soir, éteint la lampe de la chambre. Simon fait semblant de dormir pour ne pas avoir à parler. Elle tente un geste vers lui. Il lui tourne le dos. Elle se tourne elle-même sur le côté opposé. Silence. Deux silences dans le même lit.

Ariane soupire. Simon se demande si sa femme se pose les mêmes questions que lui. Il se sent coupable.

— Dors-tu, mon ange?

— Je suis sur le petit bord.

— Je t'aime.

— Je t'aime.

Si je pouvais lui dire ce que je pense, mais ma femme ne me demande jamais à quoi je pense, comme les autres femmes. J'aurais tant de choses à lui dire.

Il se retourne, se colle sur elle, en cuillère. Par habitude, son pénis réagit et caresse les fesses de sa femme en se dressant.

— Ah, Simon…

Un pénis qui durcit est un hommage qu'Ariane apprécie. Son mari met son nez dans son cou.

— Tu sens bon.

Il respire le creux de son épaule, là où la bretelle de sa nuisette creuse un sillon. Il lèche la chair blanche comme une crème glacée à la vanille, en fait il lèche la crème antiâge à la bave d'escargot.

— Dire qu'il y a des couples qui font lit à part. Moi, j'ai besoin de t'avoir là, collée.

— Moi aussi, mon amour, mais demain je me lève tôt…

— Je suis collé à toi pour la vie. Sans toi, je serais une moitié d'homme. Tu me rends complet.

— Toi aussi.

— Non, toi t'es complète. Moi j'ai besoin de toi, pas toi.

— Je ne suis pas sûre de comprendre… mais j'aime ça. On dort… Bonne nuit, mon amour.

Elle se décolle du corps de son mari. Il comprend, se tourne vers le mur et continue à lui livrer ses pensées intimes.

— Tu ne regrettes jamais ? Je sais pas, moi, l'année avant Victor ? La belle année. T'étais enceinte… on voulait toujours faire l'amour, on se désirait.

— J'ai vomi pendant deux mois et le reste du temps je courais après mon souffle.

Il est déçu. Il avait besoin d'être rassuré sur son couple ; elle n'a pas compris.

Les femmes ne comprennent pas qu'on doute, des fois ? On a beau être sauveur, pourvoyeur, on est sensible.

Comprend-il toujours ses besoins à elle ?

Ils se souhaitent encore « bonne nuit, mon amour », s'embrassent à l'aveuglette, pan, dans l'œil, pan, sur le menton. Simon retourne au dos à dos et se force à penser à la réunion qu'il doit avoir avec son comptable afin que son pénis se range le long de sa cuisse et qu'il s'endorme lui aussi.

Ariane se sent bien avec son homme, dans le confort douillet de la routine. Ariane est ce qu'on appelle une belle personne. Elle est douée pour le bonheur, et comme elle a ce qu'elle a toujours voulu, un homme, des enfants à la maison et au travail, elle est comblée. Elle ne voit pas ce qu'elle pourrait demander de plus. Elle est satisfaite.

***

Dans leur petit appartement jouxtant la maison d'Ariane et Simon, Gisèle et Clément regardent les nouvelles à la télévision. C'est elle qui tient la télécommande. Elle ferme la télé. Clément se redresse comme si on l'attaquait et lui lance:

— Heille! Les nouvelles du sport!

— Tu les as entendues, c'est les mêmes qu'à la radio, les mêmes qu'à midi, les mêmes qu'à six heures. D'ailleurs, je vois pas pourquoi tu t'acharnes à regarder la télévision, tu vois pas clair, presque pas clair. C'est pas moi qui le dis, c'est le spécialiste...

— Je vois plus que tu penses.

— Si t'acceptais d'être aveugle, me semble que ce serait plus facile que de chiquer la guenille à longueur de journée. Si tu le disais à ton fils...

— Pour qu'il attende ma mort plus vite?

— T'es injuste!

— Je me mets à sa place, quand mon père m'a cédé le magasin, j'avais hâte qu'il meure. C'est normal, c'est la nature qui veut ça; les vieux meurent pour laisser la place aux jeunes. Ça sera pas long, une chance...

— Parle pas de même!

— C'est pas toi qui as la cornée abîmée!

— Je comprends que tu sois fâché, je le serais moi aussi si je perdais la vue. Je comprends que tu sois découragé aussi, mais dans ce petit appart, le fait que tu chicanes à longueur de journée...

— Un homme, c'est pas fait pour rester à la maison.

— Une femme non plus !

Gisèle et Clément se taisent. Ils n'iront pas plus loin dans l'expression de leurs émotions, c'est trop dangereux pour leur couple où les non-dits sont installés depuis longtemps.

— Je trouve ça dur de voir Simon chaque matin de la semaine partir pour le magasin à ma place, c'est toute.

— Vends-le, le maudit magasin.

Gisèle n'a pas l'habitude de lui donner des ordres, mais elle est exaspérée. Son mari est un homme têtu, persuadé qu'il a raison sur tout, mais comme elle sait se montrer conciliante, ils s'entendent bien, c'est-à-dire qu'ils s'entendaient bien quand chacun était campé dans son rôle. Lui au magasin six jours et trois soirs par semaine, elle tenant la maison, s'investissant dans différentes causes sociales et faisant du bénévolat dans ses temps libres. Elle brise le silence :

— C'est pas moi qui ai insisté pour que Simon prenne ta relève, c'est le docteur. Moi…

— Depuis que j'ai l'âge de quatorze ans que je parle au monde au magasin de mon père puis au mien après, et là je passe mes journées tout seul avec toi. Je peux bien rugir ! Je suis en cage, puis elle est petite en torrieu.

— Je suis pas du monde, d'après toi ?

— Je suis en train de devenir fou.

— Je suis pas du monde !

Elle est blessée, mais son devoir, son maudit devoir la pousse à le réconforter comme toute bonne épouse doit le faire.

— Mon amour chéri, tu vas avoir soixante-huit ans, t'as le droit de te reposer.

— Je veux pas me reposer. J'haïs ça, me reposer.

Dès qu'il parle fort, elle baisse le ton.

— On va aller faire une croisière, O.K. ?

— Je veux pas de croisière, je veux travailler.

Elle ne sait plus comment le raisonner. Sa maladie le rend irascible.

— Je vais en parler à Simon.

— Non !

— Parle-lui, toi, d'abord. Dis-lui…

— J'irai certainement pas quêter une job à mon propre magasin, à mon propre fils.

L'orgueil masculin ne diminue pas avec l'âge.

Gisèle est fatiguée de ces conversations qui tournent en rond :

— On va se coucher ?

— On peut ben.

Quand les lampes de chevet sont éteintes, elle tente une caresse qui depuis plus de quarante-cinq ans réveille les ardeurs de son mari. Pas de réponses, ni verbales ni autrement.

— T'es fâché contre moi parce que je dis pas comme toi pour une fois…

— J'ai pas le goût…

— C'est ça que je dis. T'as pas le goût parce que je dis pas comme toi.

— Gisèle, lâche-moi patience ! J'aime pus ça, faire l'amour, bon.

— T'aimes plus ça avec moi.

— Avec n'importe qui. J'avais un gros appétit, j'ai pus faim.

— C'est ça, frappe, je suis capable d'en prendre.

— Exagère pas, je te dis tout simplement de plus attendre de moi… ben, tu le sais.

— Je te caresse plus?

— Tu peux me caresser si ça te fait plaisir, mais attends-toi pas...

— Tu t'es fait une blonde?

— J'ai faim de rien!

— Pis moi?

Clément hésite entre la colère et le silence, les deux armes qu'il utilise pour ne pas écouter sa femme. Il soupire et, en se tournant vers elle, se radoucit:

— Je vais te prouver autrement que je t'aime, c'est tout.

— Je sais que tu m'aimes, mais me priver de... ça, de cette intimité, je vais trouver ça dur. J'aime ça, moi, le sexe!

Ils n'ont jamais parlé de sexe entre eux, ils l'ont fait tout simplement. Elle insiste:

— Je te tente vraiment plus?

— Tu me tentes encore, mon corps répond plus.

— Embrasse-moi, même si ça te tente pas, c'est pour moi, juste pour moi.

Et il l'embrasse et elle l'embrasse. Elle espère une érection, lui aussi. Ils finissent par s'endormir dans les bras l'un de l'autre.

Lundi matin, neuf heures moins dix. Simon ouvre la porte du magasin. Benoit est déjà dans la vitrine à habiller un mannequin presque humain de vêtements de pêche en rivière.

— Salut, patron !

C'est de la flagornerie. Benoit, qui travaille au magasin depuis l'âge de dix-sept ans, est encore très attaché, à quarante-cinq ans, au vrai patron, Clément. Il doit faire un effort pour accepter que le fils remplace le père.

— Salut, Benoit. Passé un beau dimanche ?

Benoit, qui n'attendait que ça, sort de la vitrine, laissant son mannequin nu de la taille aux pieds.

— La pêche, mon vieux ! Je suis l'expert au magasin, oublie pas. C'est mon devoir pour le magasin d'aller à la pêche avec mes chums de gars, pas de femmes…

— De nos jours, les femmes sont nos égales dans toute, je vois pas pourquoi…

— Pas de femmes à la pêche. Heille ! C'est pas du social que je fais, moi, sur un lac, mais de la vraie pêche. Il fait frette, ça pue, on est ben, on pète, on rote, on sue, on se raconte des histoires de cul. *Taber* qu'on est ben ! À part les maringouins, les mouches noires, les brûlots, les mouches à chevreuil, c'est le paradis sur terre.

Les femmes, amènes-en comme tu veux, mais pas à la pêche.

Simon ne veut pas s'aventurer sur le sujet de l'égalité hommes-femmes avec Benoit ; c'est un misogyne.

— As-tu pris du poisson ?

— On s'en sacre-tu, du poisson ! C'est de se retrouver avec pas de femmes qu'est le vrai plaisir de la pêche. Y a pas grand place astheure où on peut se retrouver entre hommes. À part le baseball, le football, pis encore, les maudites femmes s'infiltrent partout, des vraies punaises. Avant, le hockey, ça nous appartenait, là y a des filles qui jouent, toé. Elles se contentent pas de regarder, elles jouent ! Mais au moins elles jouent entre filles. Des fois, mon gars, je fais un cauchemar : des filles jouent au hockey avec nos champions de la Ligue nationale. La partie est ennuyante à mort ; les gars sont polis, prévenants, ils les laissent jouer puis elles comptent, les sacramounes. Je me réveille en sueur. Je te dis, Simon, le mâle québécois est une race en voie de disparition. Le sexe fort se meurt de faiblesse. Si on se laisse faire pis qu'on s'accroche pas à nos privilèges, on est faites. M'écoutes-tu ?

— Hein ?

Il sait que Simon déteste son discours machiste et, par intérêt, Simon étant devenu le patron, il change de ton.

— Puis toi, patron, qu'est-ce que t'as fait ? Dis-moi-le pas, je le sais, t'as coupé le gazon, enlevé les mauvaises herbes, nettoyé la piscine, t'as reçu tes parents à souper puis après t'as mis la bonne femme, comme on dit. T'as fait ton devoir d'époux, de père et de fils, ça fait que… t'es dû pour une fin de semaine de fun avec les gars. C'est ça, l'égalité.

Pour Simon, ne pas défendre son choix de vie, c'est approuver celui de Benoit. Or Simon a horreur des machos.

— J'aime ça m'occuper de mes enfants, de mes parents, du terrain, de la piscine…

— Puis de ta femme, j'espère ?

— Puis de ma femme.

— Moi, veux-tu savoir ce que j'ai fait après la pêche ?

— Dis-moi-le pas !

Il refait ici et là des piles de t-shirts au motif d'énormes truites imprimées, un gros vendeur.

— Je suis allé sur Tinder, tu sais, le marché aux puces du sexe. J'ai levé une fille, mon gars, féminine jusqu'au bout de ses talons hauts de six pouces, pointus comme des aiguilles. C'est tripant, ces talons-là, ça leur fait des culs bombés comme des seins. Un bord ou l'autre, t'as le choix…

Simon est gêné par la vulgarité de son employé, mais comment le faire taire sans être traité de moumoune par lui ? Il se dirige vers l'arrière-boutique puis, le nez dans son livre de comptabilité, il fait oui de la tête pour montrer qu'il écoute son commis, tout en étant trop occupé pour poursuivre la conversation. Son langage sexiste l'agace, mais comme Benoit est un homme honnête et travaillant, et qu'il connaît tout sur la pêche, il le laisse parler de son sujet préféré, le cul.

— Si tu la voyais, tu capoterais. Regarde !

Il lui montre sur l'écran de son cellulaire des photos de seins, de fesses, rien de plus : des morceaux de femme. Benoit rit.

Simon n'a pas le courage de le réprimander.

— Veux-tu que je te montre comment aller sur Tinder, Simon ? Tu pourrais en avoir une pareille ou presque. T'as le choix, mon vieux. Tu cliques puis t'as ce que tu veux.

— J'ai tout ce qu'il me faut à la maison.

— S'il fallait que nos clients disent ça, « J'ai tout ce qu'il me faut à la maison », on ferait faillite. Il faut créer le désir !

Un jeune homme bâti et habillé comme un mannequin de magazine entre.

— Bon ! Larry le fendant. Je retourne dans ma vitrine, je peux pas le supporter.

— Benoit, s'il te plaît...

Lawrence Quintal, surnommé Larry pour faire plus chic, n'est pas un client, mais le représentant exclusif d'une compagnie de tentes et autres abris pour sorties de plein air, tous fabriqués en Suède. Il est beau, grand, mince, athlétique. Il a une crinière de boucles brunes et quelques fines mèches blondes ici et là, mèches qui ne sont pas naturelles, mais presque tellement elles sont bien faites.

Il a un teint hâlé, pas trop, juste assez pour avoir l'air de revenir du Sud à l'année. On ne connaît pas exactement son âge, mais il est jeune. Plus en forme que Larry, tu meurs !

Il n'est pas tombé dans la musculation gonflante. Il a développé un corps harmonieux au water-polo. Il est obsédé par la santé. Ce n'est pas pour être mince qu'il scrute les plats qu'il mange, mais pour y déceler ce qui pourrait nuire à sa sacro-sainte santé, sa nouvelle religion. C'est le genre de personne qui détecte le sucre et le gras dans les aliments juste à les humer. Il ne boit que de l'eau en bouteille et du vin à plus de vingt dollars. Il prend quatorze suppléments de vitamines et il court dix kilomètres quotidiennement… à l'aube, parce que plus tard l'air est trop pollué. L'année dernière, il était obsédé par le gluten, cette année, il veut doubler son chiffre d'affaires pour s'offrir un mois de jeûne en Inde pour purifier son côlon. Son transit intestinal est son nouveau dada. Il paraît que son intestin a un cerveau. Il se croit en santé alors qu'il souffre d'orthorexie, un trouble alimentaire où le désir de manger sainement tourne à l'obsession. Il ne sait pas que c'est un comportement névrotique aussi important que l'anorexie et la boulimie et que c'est apparu depuis quelques années. Il ne soupçonne même pas qu'il puisse être atteint d'une telle maladie.

Larry est un homme intense, un séducteur. Simon, lui si calme, si peu démonstratif, si sérieux, l'admire. Il ne le connaît que depuis quelques mois et, déjà, il a pu constater qu'un courant de sympathie passe entre eux. Les contraires s'attirent.

— Pis, toujours la fin de semaine prochaine?

Ça fait des semaines que Larry invite Simon à tester une nouvelle tente exceptionnelle. Simon, qui n'a que le dimanche de congé, hésite à partir.

— Les fins de semaine, parles-en pas. Je suis marié, j'ai des enfants, des parents, une maison à entretenir.

— Je veux juste te montrer la tente pour que tu puisses la vendre en connaissance de cause. Moi, je dis ça, c'est pour toi…

— Je l'ai en magasin, tout est écrit sur le mode d'emploi. S'il fallait que j'essaie tout ce que je vends…

Larry, quand il veut quelque chose, ne lâche pas le morceau.

— Si ta laisse va pas jusqu'en Gaspésie, on peut aller moins loin.

Simon déteste que les célibataires lui parlent de la supposée laisse des hommes mariés.

— Ma femme me tient pas en laisse, tu sauras. Je suis très libre…

Et il ressent le besoin de le lui prouver :

— Lundi prochain, je prends congé. Tu m'emmènes où tu veux.

Ça sera fait. Il va arrêter de m'achaler.

— Là, Simon, tu fais un homme de toi ! Mais il y a un problème. La tente en plein jour est comme les autres. Mais la nuit, t'en reviendras pas : antimoustiques, chauffée ou refroidie au solaire, transparente pour voir les étoiles. Un confort d'hôtel de grand luxe. Tu demandes la permission à ta femme de découcher une nuit, puis tu m'appelles.

Il a dit ce qu'il fallait, exactement ce qu'il fallait pour décider Simon.

— Je demande pas des permissions à ma femme ! C'est décidé. Je vais lui en parler, par exemple. Ma femme et moi, on forme une équipe, puis dans une équipe, quand un veut s'absenter, c'est normal d'en parler à l'autre. C'est juste du savoir-vivre.

Larry a un sourire sceptique qui pousse Simon à faire le matamore :

— O.K., dimanche prochain, on part en fin d'après-midi, on revient le lundi avant l'ouverture du magasin à neuf heures, comme ça, tout le monde est content.

— *Deal !*

— Je vais l'essayer, ta maudite tente. À moins que les enfants soient malades, ou mon père ou ma mère ou ma femme…

— C'est oui ou c'est non ?

— C'est oui.

Simon lui tend la main pour conclure l'entente, et Larry la secoue virilement, comme pour lui montrer sa force.

Benoit, qui de sa vitrine n'a pas tout entendu, ne peut résister à sa curiosité :

— Je disais justement à mon boss… Qu'est-ce que je disais, boss, hein ?

— Tu disais… t'en dis tellement…

Benoit reprend :

— Je disais que vendre, c'est provoquer le désir ! Quand un client achète, c'est qu'il a succombé au désir. Un vendeur fait circuler le désir.

Larry sourit.

— J'aime ! Oh que j'aime ! Faire circuler le désir ! Ça pourrait être ma devise.

Benoit exulte :

— C'est l'histoire de ma vie. Je suis expert en circulation de désir.

Ils se regardent tous les trois et ils s'esclaffent comme des complices avant un vol à l'étalage. La porte s'ouvre, une jeune cliente entre. Benoit s'empresse d'aller à sa rencontre. Simon et Larry rient de l'indécrottable Benoit.

Simon, qui veut faire comprendre à Larry qu'il est moderne, entraîne celui-ci dans l'arrière-boutique où s'entassent les marchandises en réserve : vélos, canots, skis, lignes à pêche. À côté des toilettes du personnel, sur un comptoir en tôle peinturé en noir, évier compris, trône une machine à café.

— Cappuccino, espresso, latte ?

— *My God, wow !* Ç'a dû coûter un bras !

— Les deux bras puis une jambe.

— Dis-moi-le pas. C'est une cafetière italienne?

— Suisse.

— *My God, wow!*

Simon a enfin ébloui Larry. Depuis les quelques mois qu'ils se connaissent, Simon éprouve un complexe d'infériorité vis-à-vis de Larry. Même si on prétend qu'au Québec il n'y a plus de classes sociales, les enfants des écoles publiques ne sont pas les mêmes que ceux des écoles privées, les jeunes issus de l'Université de Montréal ne sont pas jugés de la même manière que ceux qui sortent de l'UQAM. Les enfants de professionnels diffèrent des enfants d'ouvriers, les banlieusards des gens de la ville. Simon ne l'avouera pas, mais il est flatté de l'attention que Larry, venu de Ville Mont-Royal et de l'Université McGill, prête à un fils de marchand sorti du secondaire et de la banlieue. Il aimerait bien devenir son ami, pénétrer dans son monde. Ce serait grimper dans l'échelle sociale, et Simon a l'intention de grimper haut, au moins jusqu'à devenir maire de son patelin. Et puis les parents de Larry sont professionnels et richissimes. Juste connaître un fils de riches lui apporte du prestige, alors devenir son ami…

— Wow! Toute une cafetière!

— Si tu la trouves wow… toi.

— Je la trouve *too much*! Elle vaut combien?

— C'est la plus chère, la plus performante, la plus tendance. Je veux transformer mon commerce en magasin de sport haut de gamme pour attirer une clientèle plus raffinée. Une cafetière, c'est ce qu'il y a de mieux, non?

Après l'avoir programmée pour deux cappuccinos, Simon fait partir la machine.

Il a honte de lui.

Puis après, je lui lèche les pieds ? Je me déteste quand je m'humilie devant quelqu'un parce qu'il a plus d'argent que moi. Réflexe de colonisé. C'est idiot d'essayer d'éblouir ce gars-là. Pourquoi je fais ça ? Je suis pas son inférieur.

Le café odorant coule dans la tasse. Larry s'en empare, fait tourner le café comme on fait avec un grand vin, le hume, en prend une gorgée, la promène d'une joue à l'autre.

— En tout cas, Simon, c'est pas tous les magasins de sport qui servent du café de cette qualité.

— Tu comprends, avec la concurrence des grosses chaînes, si je veux survivre, il faut que j'apporte quelque chose de différent.

— Vive la différence !

Simon est ravi d'avoir surpris Larry. Larry déguste son café en connaisseur. Simon l'imite, mais franchement il préfère l'instantané.

***

Ce soir-là, les parents de Simon mangent des toasts aux rillettes de lapin confectionnées par Gisèle.

— Sont bonnes ?

— T'as échappé le sel, on dirait.

— Bien oui, je l'ai échappé pour vrai. On dirait que j'ai les mains pleines de pouces.

— Un beau couple de petits vieux, un aveugle et une qui a les mains pleines de pouces.

— C'est pas gentil, je trouve.

— Bon, je suis pas gentil astheure. Je sais pas toi si tu serais de bonne humeur si tu perdais la vue…

— Moi, je peux dire que j'ai les mains pleines de pouces, toi quand tu le dis ça sonne comme un reproche…

Ariane frappe et entre comme à l'accoutumée. Elle est vêtue pour sortir, maquillée et coiffée. Elle porte des talons hauts qui lui font une démarche étrange comme si elle faisait du ski de fond.

— Bonsoir, les amoureux ! Pouvez-vous jeter un coup d'œil sur les jeunes ce soir ? Pas longtemps, c'est notre anniversaire et j'emmène Simon souper en ville. Il le sait pas, c'est une surprise.

— Oui, bien sûr, hein, Clément ?

— N'importe quand.

Le ton de Gisèle est – disons le mot – glacial. Elle ne pardonne pas à sa belle-fille d'avoir eu l'idée de la maison intergénérationnelle, « une niche à chiens ».

— Si ça vous dit, venez passer la soirée chez nous. Vous pourrez profiter de notre grand écran.

Clément se lève et tend les bras à sa belle-fille.

Ariane regarde Gisèle et reste figée. Clément n'a pas l'habitude de faire des câlins et il perçoit l'hésitation de sa bru.

— Je veux juste te sentir, fille ! Tu sens tellement bonne.

Gisèle a horreur que son mari fasse des fautes de français devant Ariane :

— Il fait exprès pour me taquiner, il dit jamais ça.

Ariane se laisse renifler par son beau-père puis le repousse doucement. Elle connaît son attirance pour les femmes.

En repartant chez elle, elle entend la grosse voix de Clément dans son dos :

— L'anniversaire de quoi ?

Ariane se retourne :

— De couchette !

Et elle s'éloigne en riant.

Quand les beaux-parents, qui ont décidé de traverser pour jaser avec leurs petits-enfants, arrivent, Ariane a son manteau sur le dos et marche de long en large.

— J'ai mon voyage du magasin. Simon vient juste d'appeler pour m'annoncer qu'il va souper avec un représentant de… j'ai pas bien compris. Il veut lui faire tester une nouvelle ligne de tentes fabriquées en Suède. Je m'en sacre, moi, de la Suède, c'est mon anniversaire de cul.

Soudain, elle se rend compte de la grossièreté sortie de sa jolie bouche ourlée de crayon rose. Elle s'excuse.

— Au moins, c'est pas avec des maîtresses qu'il va souper.

Clément est surpris que sa femme ressorte ces vieilles histoires qu'il croyait enterrées. Gisèle a lancé cette phrase comme un couteau dans le cœur de son mari.

Si j'avais su qu'elle me le remettrait sur le nez jusqu'à ma mort, je lui aurais jamais confessé mes aventures.

Clément fait comme s'il n'avait pas entendu.

Sur un coup de tête, Ariane décide d'aller rejoindre Simon. En conduisant sa petite Fiat 500, elle s'interroge.

Est-ce que je fais une bonne chose? C'est tout à fait normal de rejoindre son mari au restaurant. Oui, mais il ne m'a pas invitée. Il avait juste à se souvenir de l'anniversaire du jour où je me suis donnée à lui. Pourquoi il ne s'en souvient pas? C'est pas de ma faute si je suis romantique, je suis une fille. Pour Simon, être romantique, c'est tremper son pinceau le dimanche après-midi, et pour moi, c'est un souper dans un beau restaurant. Me semble qu'il l'était, romantique, avant. Il m'apportait des fleurs; mais là, c'est moi qui ne veux plus en recevoir. C'est du gaspillage, ça dure pas, comme la passion. Pourquoi la passion ne dure pas? Moi, je l'aime passionnément, mon mari. Je l'aime d'amour, je suis attachée à lui. C'est lui qui me convient. C'est lui qui m'apporte l'harmonie, l'équilibre. J'ai besoin de pouvoir compter sur quelqu'un de fiable. Enfant du divorce, j'ai besoin de solidité, de durabilité. Mon mari m'est complémentaire. Il me donne ce que je n'ai jamais eu, de la stabilité affective, et moi, je lui apporte… je le sais pas, ce que je lui apporte. Probablement ce dont il a besoin. Une famille stable? Il semble satisfait. Il dit toujours qu'il a tout pour être heureux. Mais l'est-il vraiment? A-t-il le désir de me tromper? Moi, je lui suis fidèle, même en rêve… ben, les rêves ça compte pas. Quand j'ai un fantasme avec un autre que lui, je me censure; on s'est juré fidélité. Il ne sera pas fâché que j'arrive comme ça, comme un cheveu sur la soupe, mais peut-être qu'il va croire que je suis jalouse; je le suis pas. Non! Je ne suis pas jalouse! Dans le fond, je viens vérifier s'il est avec une autre femme au restaurant. Il pourrait me tromper. Son père a bien eu des maîtresses toute sa vie et sa femme lui a toujours pardonné. Que je m'haïs quand je suis de même, quand je me sens si ordinaire que je pense que n'importe quelle fille peut me l'enlever. D'un autre côté, j'ai enfin un ancrage, une planche de salut, je vais pas prendre le risque de tout perdre. C'est pas de la jalousie, c'est de l'estime de soi.

Je sais pas pourquoi il me revient cette image de mon enfance: maman et papa qui se crient par la tête et moi qui pleure parce que j'arrive pas à les empêcher de se détruire. C'est pas en arrivant au restaurant que je vais arranger les choses. Il n'y a pas de choses à arranger entre mon mari et moi, ça va super bien. On est heureux. On s'aime. J'ai confiance en lui. Rien ne peut détruire notre amour, on est un couple invincible.

Sur ces pensées, elle fait demi-tour et revient à la maison.

Quand Ariane entre chez elle, Clément, seul dans le salon, veille toutes lampes éteintes dans un fauteuil. Elle chuchote dans l'oreille de son beau-père :

— Youhou !

— Gisèle ?

— Ariane.

— Je le savais que c'était toi, tu sens le gâteau.

— Je me mets de la vanille derrière les oreilles, mais dites-le à personne. C'est mon arme secrète de séduction.

— Mets-toi de l'odeur d'oignons frits, ça pogne avec les hommes.

Ils rient.

Ce serait trop merveilleux si Simon me trouvait drôle, pense Ariane.

Si Gisèle était aussi fine que ma bru ! se dit Clément.

Pour changer l'atmosphère de connivence qui flotte autour d'eux, Clément, inquiet, l'interroge :

— Et Simon ?

— Je suis pas allée au restaurant. C'était pas une bonne idée.

— Non, c'était pas une bonne idée.

Ariane accepte sans rouspéter les remarques de son beau-père.

— Vous pouvez rentrer chez vous, Clément.

— Si je veux.

— Bien sûr. Avez-vous besoin de quelque chose ?

— De mes yeux, baptême !

— Parlez pas de même.

— Je deviens aveugle petit à petit, puis faut pas que j'en parle. Comme si j'avais attrapé une maladie honteuse, comme si le fait de pas en parler était pour me redonner la vue.

Ariane approche un coussin, s'installe à ses pieds et lui prend la main. Ils restent ainsi sans rien dire. Elle le sent qui se calme.

— C'est terrible que vous perdiez la vue.

— Tu peux pas savoir, ma fille. Pas d'yeux, c'est comme si j'étais personne. Pas de yeux… c'est…

— Vous allez vous habituer. Je veux dire, vous allez acquérir d'autres aptitudes, c'est ce que je dis à mes petits dyslexiques: « Vous pouvez pas écrire, alors parlez, développez la parole. » J'obtiens des résultats étonnants.

— Je suis pas dyslexique, torrieu, je suis en train de devenir aveugle.

— Je veux dire le temps, donnez-vous le temps.

— Le temps peut pas me redonner mes yeux. Tu dis des bêtises, là! Si j'avais mes yeux, c'est pas Simon qui serait au magasin, c'est moi. Je serais pas là à écouter ma belle-fille dire n'importe quoi, c'est moi qui serais au restaurant invité par un représentant. Je serais pas là à essayer de faire comprendre à ma bru qui comprend rien que pour moi c'est catastrophique.

Ariane connaît bien la colère des enfants, mais que faire avec celle d'un homme vieillissant?

Elle porte la main de Clément à sa bouche et dépose un baiser sur ses jointures marbrées de bleu et de rouge. Elle a un élan du cœur:

— Si je pouvais, je vous donnerais un de mes yeux.

Clément en tâtonnant réussit à embrasser Ariane sur la joue gauche.

— C'est pas mon garçon qui m'offrirait ça.

Dans l'escalier, les enfants viennent dire bonsoir à leur grand-père. Hortense, sempiternelle deuxième dans la fratrie, a réussi à arriver avant son frère.

— Bonne nuit, grand-papa.

— Bonne nuit, ma belle Hortense.

Elle grimpe sur ses genoux, met son museau dans son cou.

— Ton grand-papa, il verra pas grandir sa petite-fille.

— Je grandirai pas ! O.K. ?

Il la serre dans ses bras.

— T'es ben fine.

Victor approche, réticent, et tend la joue.

— T'as quel âge, là ? lui demande Clément.

— Ben, quatorze et trois quarts.

— On va dire quinze pour faire un compte rond. À quinze ans, les hommes, ça se serre la main.

Victor, qui embrasse son grand-père depuis qu'il est bébé, lui serre maladroitement la main et lui donne un baiser sur la joue. Clément s'essuie la joue.

— Qu'est-ce que tu fais là ? On est pas des filles pour se minoucher. Ton père t'a pas montré ça ?

— Oui, mais c'est parce que…

— « Oui, mais c'est parce que », c'est en quoi, ça, en chinois ?

— Je pensais te faire plaisir.

— Discute pas. C'est ton père qui t'a montré ça, répondre aux adultes ?

— Je réponds pas, je dis juste…

— Pareil comme son père.

— Je suis pas pareil ! Lui, il est pareil à toi. J'haïs ça quand tu me dis ça.

— Puis c'est impoli, ça, jeune homme.

— Je suis pas impoli, je dis la vérité. Il faut toujours dire la vérité, que tu me répètes depuis que je suis né.

— Tu réponds pas quand je te parle, compris ? Bonne nuit, mon garçon.

Victor, insulté, ne répond pas.

Clément a besoin de passer sa colère sur quelqu'un, alors il lui lance :

— Je te souhaite bonne nuit. Réponds quand je te parle.

— Je réponds pas, c'est impoli… que tu dis.

Ariane montre ses deux pouces à son fils en signe de victoire. Clément a trop mal, il faut qu'il attaque pour se soulager. Il crie :

— Victor, viens t'excuser !

Sa mère lui fait signe d'aller se coucher. Il grimpe les marches quatre à quatre.

— Je suis prête à vous raccompagner chez vous, annonce Ariane à Clément.

Celui-ci se lève à regret.

— Tu me laisseras dans les poubelles en passant.

Ariane comprend sa détresse et même sa colère, mais comme elle n'y peut rien, elle trouve injuste l'agressivité de son beau-père.

À quelques pas de la maisonnette de ses beaux-parents, elle lui souhaite bonne nuit.

— Je suis toujours dans la nuit ! répond-il.

Il y a tant de souffrance en lui qu'elle l'embrasse sur les deux joues spontanément.

Il entre chez lui, lourd comme les nuages qui recouvrent la banlieue.

***

Toute la soirée, Larry a raconté ses randonnées autour du monde à la recherche de la tente parfaite. Simon l'a écouté, bouche bée. Quel raconteur ! Quel aventurier ! Il l'envie et souhaiterait avoir son audace, son charme, sa légèreté.

Le restaurant s'est vidé, les serveurs sont partis, il en reste un qui bâille à s'en décrocher la mâchoire et qui est impatient de rentrer chez lui. Il a apporté la note à Larry, qui ne semble pas la voir. Simon est complètement séduit. Il l'écouterait toute la nuit. Larry se rapproche et lui parle dans les yeux :

— T'as jamais eu le désir de partir au loin ?

— Non. Ah, j'ai fait un voyage en mars à Cuba pendant la semaine de relâche des enfants. Moi, le soleil, ça me brûle la peau, un vrai homard, puis le sable, je supporte pas, ça rentre partout. Ah, puis j'oubliais mon voyage de noces à Niagara Falls.

— Je te parle de l'Asie, l'Australie, l'Afrique.

— Non, non, pas le temps, trop loin, trop de troubles, puis avec le terrorisme…

— Une chance que tout le monde est pas comme toi. Vois-tu ça que Maisonneuve soit resté chez lui en France à cause des Iroquois ? On aurait pas été découverts. Quand un coureur automobile prend le tournant à deux cents milles à l'heure…

— Il meurt.

— Oui, mais quel frisson avant de mourir.

— Moi, j'ai une famille et un commerce. Je prends pas de tournants à cette vitesse-là…

— T'es peureux.

— Non, je tiens à ma vie.

Simon se traite lui-même de peureux, mais il n'aime pas qu'un autre le lui serve.

— Pour travailler pour mon père, faut avoir peur de rien. Je lui tiens tête depuis que je suis né. Quand je vais lui dire que j'ai pris ta ligne de tentes…

— T'as peur de ton père ?

— J'ai pas peur de lui. J'appréhende sa réaction, mettons.

— Il a peur de son papa. Il veut-tu que son papa vienne avec nous essayer la tente ? Tu changes pas d'idée, j'espère. Découcher une nuit, c'est rien. Moi…

— C'est pas aussi simple. Je peux pas m'absenter longtemps du magasin, c'est moi le patron, puis tu comprends, ma femme…

— Il a peur de sa femme aussi !

Larry sait frapper là où ça fait mal aux hommes, en plein dans l'orgueil mâle.

— J'ai peur de personne, même pas de toi, mon homme ! Je t'ai dit que j'irais l'essayer, ta tente.

Simon, qui n'a pas l'habitude de boire, a la susceptibilité à vif.

Je vais leur montrer, à ma femme, à mon père, puis à tout le monde que je suis un homme. Je vais penser à moi pour une fois, je vais cesser d'être le petit chien.

— Ariane me doit une journée *off*. Le mois passé, elle a pris un dimanche avec ses collègues orthopédagogues. J'ai gardé les enfants puis j'ai fait le souper. Elle est rentrée à minuit. J'ai un crédit.

Larry a repris son air méprisant :

— Ah, si t'as un crédit…

Simon, soudain, s'assombrit :

— Sais-tu c'est quoi, ma grande peur ? C'est de me mettre à aimer ça.

— Quoi ?
— Les congés de la famille.
— Puis ?
— On peut pas tout avoir dans la vie.
— Au contraire, on peut tout avoir, tout ce qu'on veut. Le plaisir est là qui nous attend partout. Moi, je le prends de quelque source qu'il vienne. Tu te compliques la vie en te mettant des barrières. J'aime ça, je le prends. C'est ma devise.
— Quand même, Larry, faut faire des choix parfois. Moi, jeune, j'ai fait des choix : me marier, faire des enfants, faire de l'argent, être un citoyen honorable et honoré...
— Moi, j'ai fait un choix, celui de pas choisir, jamais. Prendre tout ce qui passe.
Simon le regarde avec admiration.
— Maudit chanceux !
Larry commande un autre digestif.

La résidence de Simon semble endormie. Pas une lumière, pas un bruit. Il ouvre la porte de sa maison, enlève ses souliers, monte l'escalier. Une marche grince comme dans les films d'horreur. Rendu à l'étage des chambres, il aperçoit le faible faisceau de lumière de la lampe de chevet de sa femme. Elle l'attend ! Il lui vient en tête un vieux sketch qu'il a vu à la télévision dans lequel Juliette Huot brandit un rouleau à pâte en criant à son mari ivre, joué par Olivier Guimond : « Belle heure pour arriver ! » Ce n'est pas le genre d'Ariane d'attendre son mari avec un rouleau à pâte.

À moins qu'elle se soit endormie en laissant la lumière ouverte.

Il aimerait avoir la témérité de Larry, la réveiller et lui dire : « J'ai un nouvel ami, différent de moi, mais complémentaire. Il me fascine. Il est tellement… Je voudrais être comme lui. »

— Simon, c'est toi ?

Il entre dans la chambre.

— Attendais-tu quelqu'un d'autre ?

Ça y est, il a répondu avec la farce qui fait rire Ariane d'habitude.

— Non, je t'attendais, toi. Pour l'amour du ciel…

Il ne la laisse pas commencer son sermon :

— Tu me dois un dimanche. Je le prends dimanche soir prochain jusqu'au lundi matin.

— Découcher ? Pourquoi ?

— Je vais tester une nouvelle tente dont les avantages sont surtout la nuit.

— Tu peux pas la tester au magasin ?

— C'est une tente. Il vaut mieux la tester dehors, non ? J'ai pas pris congé de l'hiver, puis…

— Vas-y ! Ça va être le fun.

Simon est presque déçu qu'elle accepte si vite. Il s'était préparé à plaider sa cause longuement.

— Ça te fait rien ?

— Ça me fait plaisir que tu relaxes un peu.

Elle est donc ben fine.

Elle éteint, le laissant dans la noirceur complète pour se déshabiller.

— C'était bon ?

— Quoi ?

Il a répondu trop vite, comme pris en défaut.

— Ce que tu as mangé.

— Ah oui ! Très bon.

— Qu'est-ce que t'as mangé de si bon ?

— Je m'en rappelle plus. Oui, je m'en rappelle, du poisson avec une sauce, je pense.

— La conversation devait être intéressante si tu te rappelles pas ce que t'as mangé.

— Passionnante. Larry, il s'appelle Larry, le représentant de la tente, c'est tout un bonhomme.

Et tout en se dévêtant, Simon se met à lui vanter Larry, son charme, son originalité, sa liberté.

Ariane est surprise et contente à la fois. Depuis leur mariage, c'est le premier ami que son mari se fait.

— J'ai hâte que tu me le présentes. Il est marié ?

Il hésite :

— Sais-tu, je le sais pas, on a pas parlé de ça.

— Tu sais pas s'il a des enfants, rien ?

— Non. Les gars, quand on se rencontre, on parle pas de notre vie privée, on parle de…

— Chars et sports !

Pour que cesse ce sujet glissant, Simon embrasse Ariane et, parce qu'il se sent coupable d'avoir pris du plaisir sans elle, il la caresse. Et comme elle lui fait remarquer qu'il a oublié leur anniversaire de cul, ils se retrouvent à faire l'amour.

Pourquoi je sens que j'ai quelque chose à me faire pardonner ? Pourquoi je me sens traître à ma famille ? Pourquoi je fais l'amour à ma femme avec tant de conviction ? Parce que je me sens coupable. Mais coupable de quoi ? D'avoir pris du plaisir sans elle.

Il ferme les yeux, tente de dormir, mais les mots de Larry font des rondes dans sa tête.

Le dimanche suivant, à l'aube dans la grande chambre, Simon cherche ses vêtements de randonnée en tentant de ne pas réveiller sa femme qui fait la grasse matinée.

En voulant vérifier ses bottes dans le *walk-in*, il fait débouler son sac à dos et sa trousse de premiers soins.

— Calvaire !

— J'haïs ça me faire réveiller par un sacre.

— Excuse-moi, chérie. Ça m'a sorti tout seul. Si on veut se rendre avant la noirceur, faut partir du magasin à la fermeture. Je reviendrai pas à la maison.

Simon se confond en excuses.

— J'aurais dû sortir mes affaires hier soir, mais je voulais pas te mettre dans tous tes états.

— Je suis pas dans tous mes états !

Elle l'affirme avec autorité, mais Simon la connaît bien et en doute.

— Tu te vois pas l'air.

— J'ai mon air de femme qui se fait réveiller le dimanche matin alors qu'elle voulait faire la grasse matinée.

— Tu m'en veux, je le sens. C'est pas la mort d'un homme de découcher un soir.

— C'est la mort d'une femme.

Il décide qu'il vaut mieux rire pour alléger l'atmosphère.

— Tu vas avoir le lit tout à toi ce soir, tu vas pouvoir coucher avec ton masque d'argile dans la face.

— La différence entre toi et moi, c'est que, moi, je suis bien avec toi. Toi, t'es bien ailleurs.

— Je suis bien avec toi, mais un petit congé de temps en temps…

Ariane comprend qu'il y aura d'autres fois.

Maintenant que j'ai un ami, mieux vaut l'habituer à l'idée. J'ai un ami, Larry est mon ami.

Ariane le sort de la pensée réconfortante qui l'habite :

— Comment ça se fait que, moi, j'ai pas le goût de m'amuser sans toi, mais qu'avec toi ?

— Tu penses que je m'en vais m'amuser ? Je vais apprendre à monter une nouvelle tente. Comment penses-tu que je vais être capable de la vendre si je la connais pas sous toutes les coutures, si coutures il y a ? Tu sais ce que papa dit toujours : « Si tu connais pas le maniement d'un article, vends-le pas. »

— On parle pas la même langue quand on parle d'amour, nous deux.

— Lâche-moi avec l'amour. Les filles, vous mettez de l'amour partout. On parle raison, tu me sors l'amour.

Ariane, qui connaît son homme, ne s'aventure pas à lui expliquer la teneur de ses sentiments ; il n'aime pas parler de ça. Il aime Ariane, point final. Il lui est fidèle, il est bon pour elle, essaie de lui faire plaisir quotidiennement, l'embrasse, la caresse, lui fait l'amour chaque dimanche. Si ce n'est pas ça, l'amour, qu'est-ce que c'est ?

Cependant, pour partir en paix, il a besoin de la bénédiction de sa femme, d'autant plus qu'il a décidé de donner congé à son remplaçant du dimanche et de travailler aujourd'hui pour que le temps passe plus vite en attendant la soirée. Il s'assoit sur le lit, lui flatte distraitement un sein, celui qui est si sensible aux caresses que même celles du vent font dresser son mamelon. Il tente de lui faire comprendre son point de vue :

— Tu sens le besoin d'aller te ressourcer des fois dans ton travail ? Je me ressource dans le mien. Je vais suivre un cours de montage de tente.

— T'as du plaisir quand même.

— Faudrait que ce soit plate en plus ?

Vexé, il se relève et remplit son sac à dos.

— Compte sur moi, je vais tout faire pour que ce soit l'enfer pour te faire plaisir.

— J'ai rien dit, c'est toi !

— T'as dit ce qu'il fallait pour que je me sente coupable.

Ariane sort une autre arme, plus tranchante que la culpabilité.

— Qu'est-ce que tu dirais si je partais avec une amie pour une nuit ?

— Je serais content.

— Tu dis ça parce que je le fais jamais.

— Fais-le, ça te ferait du bien d'avoir du plaisir en dehors de moi, ça te rendrait un peu plus... cool.

Ariane se sent perdue. Elle voulait des déclarations d'amour, elle reçoit des reproches. Elle se sent abandonnée dans le grand lit. Elle veut que son mari l'écoute, pas qu'il lui dicte sa conduite.

— Tu m'aimes plus.

Faut jamais, jamais parler d'amour avec elle, ça finit toujours mal.

Il l'embrasse sur la bouche, un petit bec sec comme un cadenas qui se ferme. La culpabilité lui griffe soudain le cœur.

— Je vais t'appeler en partant du magasin, je vais t'appeler rendu où on plante la tente. O.K. ? Je peux me rapporter aux heures.

— Non !

Sur le seuil de la chambre, il lui lance, comme un prix de consolation :

— Je t'aime.

— Moi aussi.

C'est un petit « moi aussi » qui appelle un commentaire, mais Simon referme la porte de la chambre, puis il pousse un soupir de soulagement. Ariane lui crie de son lit, à travers la porte :

— Où vous allez ?

— Je le sais pas.

— Comment ça, tu le sais pas ?

Il réapparaît dans l'encadrement et, prenant sa patience à deux mains, la rassure :

— Je vais t'appeler pour te le dire.

Il part. En passant devant les chambres de ses enfants, il a soudain l'envie de téléphoner à Larry pour se décommander : trop compliqué. Le souvenir du sourire charmeur du représentant l'en empêche.

Pour une fois que je pars seul, sans famille sur le dos.

Il s'engueule lui-même. Ça lui arrive de plus en plus souvent de se fustiger.

C'est ça que tu voulais, une femme, des enfants, un commerce : le kit ? Ben, tu l'as ! Ça fait que, assume.

Ce dimanche-là, au magasin, il y a peu de vrais clients, surtout des curieux qui viennent vérifier si les prix sont aussi bas que ceux des grandes surfaces. Simon a tout le temps de se justifier.

La concurrence est féroce pour les commerces indépendants, il faut offrir ce que les grandes chaînes n'offrent pas toujours et surtout avoir un service personnalisé et une expertise plus pointue, d'où la nécessité que je suive des cours avec Larry. Ça fait quinze ans que je suis collé sur ma femme, je peux-tu respirer un peu tout seul?

Il passe sa journée à se trouver des raisons de partir et malgré tout il ressent un malaise, comme si se faire un ami était une infidélité. Cette nouvelle amitié au contraire lui apporte un nouveau souffle, une nouvelle vie. En tout cas, c'est ce qu'il se dit.

Simon ne cesse de vérifier ses courriels au cas où Larry donnerait signe de vie. Enfin, cinq heures arrivent et Larry se pointe, rasé de près, d'une élégance négligée: un jeans troué très *in*, une chemise, des espadrilles tout terrain, une casquette usée à la corde et qu'il porte à l'envers, ce qui charme Simon; ce n'est pas lui qui oserait porter ce style de faux pauvre.

Larry le pousse vers la sortie:

— Je suis stationné au coin de la rue, le moteur tourne. Vite!

— Je téléphone à ma femme…

— Si c'est trop compliqué pour toi de découcher, je force personne.

— Ce sera pas long.

— Tu l'appelleras de l'auto. Vite, donne ton sac.

— Je veux dire à mon commis…

— Il va se débrouiller sans toi.

Le ton est ferme. Simon ne peut qu'obéir.

Ils courent presque jusqu'à l'auto et Larry démarre comme s'il s'agissait d'un enlèvement. Simon rit.

— T'es fou!

— Merci. C'est une qualité que je cultive. Y a pas assez de fous dans le monde.

— Tu trouves?

— Je te parle pas des fous furieux, je te parle des fous heureux.

— J'ai pas une graine de folie en moi. Toi, on sait bien, t'es célibataire.

— Qui t'a dit ça?

— Ben, la façon dont t'agis.

— Je vis en couple. J'aime être en couple. Je le suis depuis que j'ai dix-huit ans. Couple ouvert... Toujours...

— T'as une femme, toi? T'es marié pis toute?

— Je vis avec une fille depuis un an, on s'est mariés au civil récemment et on attend un bébé. Tu l'aimerais, c'est une étudiante en sexologie. En ce moment, elle prépare un mémoire de maîtrise.

Simon est rassuré. Il a craint un moment que Larry, comme Benoit, passe son temps à lui parler de ses conquêtes féminines.

— C'est beau.

— Quoi?

— Vous deux, ta famille, ton enfant à venir.

— Oui, c'est beau... j'imagine.

— C'est pas beau?

— Toi, Simon, tu as choisi et officialisé la dépendance. Moi je suis dans un couple ouvert, on est libres chacun de notre bord. Je veux pas me sentir étouffé par le quotidien. Tiens, les sorties entre gars. On a besoin de ça, les gars, surtout depuis que les hommes en font autant que les femmes à la maison. Arrive le moment où le gars étouffe, cherche de l'air, la femme capote. C'est toujours à recommencer, des discussions à plus finir. Puis là, tu pars pour avoir du fun avec tes chums de gars, tu te retrouves à faire de la culpabilité.

Larry continue de lui vanter les mérites du couple ouvert. Simon boit ses paroles. Larry s'arrête sur le bord de l'autoroute, puis descend de l'auto.

— Qu'est-ce que tu fais ?

— Je pisse.

Simon descend à son tour et s'installe à côté de Larry. Ils pissent en silence sans se regarder, mais en tentant de vérifier lequel a le jet le plus puissant, vestiges de l'adolescence. Larry a gagné le concours. Il proclame :

— On devrait faire l'amour comme on pisse, quand on en sent le besoin.

Après s'être dûment secoué et avoir zippé sa braguette, il reprend son idée en même temps que la conduite de la voiture :

— Pisser au bord de la route, ç'a l'air de rien, mais c'est un geste symbolique. Seuls les hommes pissent debout. Juste le mot « pisser », ça fait du bien de le dire.

— Moi, je fais pipi assis, Ariane dit que ça salit moins le plancher.

Une image s'impose dans la tête de Simon : un concours de masturbation un soir qu'il avait pris trop de bière avec des copains au secondaire. Il la chasse de sa mémoire et continue :

— Je me suis marié jeune, j'avais pas trop le choix, ma blonde était enceinte. J'ai pas vraiment eu d'adolescence non plus, je travaillais au magasin de mon père et je sortais déjà sérieusement avec ma femme au secondaire…

Larry saute sur l'occasion qui s'offre à lui.

— Eh bien, mon vieux, si t'as pas fait de crise d'adolescence, c'est le temps de la faire.

Il stoppe l'auto, en descend. Simon l'imite.

Larry se met à courir, s'arrête quand il s'aperçoit que Simon ne le suit pas, puis revient vers lui :

— Simon, slaque, on est entre gars. Tu vois le bouleau là-bas ? C'est qui le touche le plus vite.

Il lui donne de légers coups de poing dans les côtes.

— T'es pogné ben raide. Slaque. Qui c'est qui court le plus vite ?

Il continue de le frapper légèrement dans l'espoir qu'ils se tiraillent un peu s'il ne veut pas courir.

— Arrête ça !

Le ton de Simon est sans appel. Il se rassoit dans la voiture, claque la portière, et ils reprennent la route.

Une centaine de kilomètres plus tard, Larry, intrigué par le silence de Simon, lui lance une des phrases que les hommes détestent entendre :

— À quoi tu penses ?

Au lieu de répondre « À rien », comme il le fait quand sa femme lui pose cette question, Simon dit :

— J'aimerais ça être comme toi.

— Je suis quoi ?

— Cool, comme disent les enfants. Y a rien qui te dérange, toi, on dirait. T'es au-dessus de tout. On se connaît pas ou à peu près pas, et t'agis comme si on était de vieux chums. T'es un gars cool.

— Tu veux me cataloguer, me mettre une étiquette ? J'haïs les étiquettes. Je suis qui je suis. T'as compris ?

Simon, devant le changement de ton, se demande s'il a bien fait d'accepter son invitation. Il pense à Ariane, à qui il n'a pas téléphoné de peur de passer aux yeux de son nouveau copain pour le gars qui doit se rapporter à sa femme. Il devra le faire dès l'arrivée au terrain de camping sinon elle va s'inquiéter. Il constate que, la vie à deux, à quatre, à six, avec les enfants et les parents, ne lui laisse pas le temps de vivre, qu'il s'est aventuré dans le mariage sans savoir qu'il perdrait sa liberté, son indépendance. Personne ne lui a dit à quel point la paternité était éreintante, et même si on le lui avait dit, l'aurait-il cru, tout à son ambition de faire comme ses parents et d'avoir le « kit » ?

L'auto est sortie de la route principale depuis un bon moment et s'aventure dans un chemin de terre poussiéreux qui longe un lac.

La voiture contourne le lac, emprunte une route de terre dans la forêt, s'arrête sur une plage de sable blond entourée de pins, de sapins, d'épinettes et de quelques bouleaux.

Larry sort du véhicule.

— On est arrivés !

Simon à son tour déplie ses longues jambes et rejoint Larry devant le lac.

— C'est ça, le camping ?

— Qui a parlé de camping ?

— C'est pas ici qu'on plante la tente ?

— C'est ça l'idée.

— Tu m'emmènes camper pas de camping ?

— C'est grave, ça ? C'est sauvage, c'est beau, qu'est-ce qu'il te faut de plus ?

— Je pensais…

— Chut, pense pas, regarde. *Enjoy!*

Le paysage est en effet à couper le souffle. De l'eau cristalline, des arbres d'un vert profond, un sable pâle. Un vrai coin de paradis.

— C'est beau vrai. Puis le silence! J'ai jamais entendu un silence aussi éloquent.

Ils écoutent le silence. Le lac est d'huile, le vent, chaud. C'est l'heure lilas, la belle heure, l'heure tendre. Larry murmure:

— C'est comme si le temps s'était arrêté rien que pour nous deux. Sens-tu ce que je sens?

— Une mouffette!

Larry rit.

— Ris-tu de moi?

— Oui! Y a pas plus banlieusard que toi! Ça sent le soir qui tombe.

— Ah oui?

— C'est correct, moi je suis un gars de bois, t'es un gars de la banlieue, on se complète bien. Dis qu'on a pas de fun ensemble, dis?

Il le roue de légers coups de poing.

Simon, fils unique, n'a pas appris à se tirailler. Il recule, se protège tout en riant aussi. Cette proximité entre gars lui plaît. Larry sort une mallette rouge du coffre de son auto, l'ouvre pour découvrir une bouteille de champagne et deux coupes.

— On fête?

— Quoi?

— Nous deux, notre nouvelle alliance... en affaires.

Simon est impressionné, le champagne en pleine nature, c'est du nouveau pour lui.

— La dernière fois que j'ai bu du champagne, c'était à mon mariage il y a quinze ans. Ça soûle vite, les bulles, enfin moi... Disons que ce soir-là...

— Disons que c'est pour t'aider à slaquer.

— Ça, je relaxe! Offres-tu le champagne à tous tes clients?

— Juste à mes amis intimes.

Larry boit d'un trait. Simon, épaté, l'imite.

Ils s'assoient dans le sable, le dos appuyé à l'auto, et ils regardent le soleil qui se couche dans ses draps roses.

La noirceur est arrivée doucement et les a enveloppés de son manteau gris foncé. Ils ont terminé la bouteille de champagne et Larry se roule un joint, l'allume, petite lumière rouge dans le noir, et l'offre à Simon.

— C'est du bon. Que je cultive moi-même.

— Non, merci, déjà que j'ai pas l'habitude de boire autant d'alcool.

Larry lui tend le joint pour qu'il en respire un peu.

— Je fume pas.

— C'est pas du tabac, c'est bien moins dangereux. On est seuls puis c'est pas pour se droguer, c'est pour slaquer.

— Je suis slaque...

— Tu bois pas, tu fumes pas, c'est quoi le fun dans ta vie?

— Ma femme, mes enfants, mon magasin, faire de l'argent, être respecté de mes concitoyens. Dans une petite ville, si tu le veux, tu peux faire de la politique si t'as le moindrement de l'allure. Moi, dans quelques années, je me vois maire. Réussir ma vie, quoi.

Je suis en prison avec des chaînes aux pieds et aux mains puis c'est moi-même qui me suis enchaîné, le cave. Puis j'ai réaménagé le garage en maisonnette à côté de la mienne pour être encore plus enchaîné! Au moins, je n'ai pas de frères ni de sœurs…

— Moi, je suis fils unique, toi?

— Nous autres, on est trois, je suis le plus jeune. Ma mère vit à Vancouver, mon père, à Halifax. C'est pas difficile de conclure qu'ils sont séparés. J'ai une sœur qui vit à Londres, une autre qui habite à Paris, moi je vis à Montréal… pour le moment.

Simon admire sa désinvolture. Si seulement il pouvait être comme lui. Larry continue à fournir à son compagnon des informations sur lui.

— Je suis un oiseau sur la branche. Je suis là où il y a du plaisir. Ma religion, c'est le plaisir.

— Avec les responsabilités, ça va prendre le bord. Tu vas voir quand le petit va naître.

Larry ne répond pas, il offre son joint à Simon:

— Quand tes enfants vont fumer du pot, faut au moins que tu saches ce que tu leur défends.

Cet argument fallacieux emporte la résistance de Simon. Il aspire la fumée comme si c'était son dernier bol d'air avant d'étouffer sous les responsabilités.

Larry s'inquiète.

— Puis? T'es bien?

— Je flotte. Maudit que je suis bien! Je suis entre deux eaux et je flotte. Non, je vole, c'est ça, je nage dans l'air, je suis au-dessus de la vie. Je vole au-dessus du monde. Puis j'ai même pas de balai de sorcière.

Il se met à rire comme si le mot «balai» était un mot comique.

— C'est la première fois que je te vois heureux.

Simon décide de ne pas s'embarquer dans des justifications et de profiter du temps qui passe. Il s'allonge de tout son long sur le sable comme pour faire corps avec la terre. Larry rampe doucement, s'étend lui aussi sur le sable tout près et lui dit :

— T'es beau quand t'es heureux.

À force de se faire dire qu'il est heureux, Simon finit par le croire.

Ils restent là, face aux étoiles qui s'allument, sans parler, sans bouger, savourant la beauté de la nuit, jouissant des bruits des petites vagues qui viennent s'échouer sur la plage, du moelleux du sable, de la tiédeur de l'air. Ils sont bien.

***

Dans sa chambre, Ariane est étalée en étoile au beau milieu du lit et regarde la télé puis le réveil, qui marque minuit moins cinq. Elle prend son téléphone qui gît sur la couette. Vérifie ses textos, ses courriels sur son iPad et ses messages vocaux sur son cellulaire. Pas de nouvelles de Simon.

Non, je l'appelle pas. C'est lui qui devait m'appeler. À moins qu'il lui soit arrivé un accident. J'appelle ! Non, de quoi j'aurais l'air ? Un texto ? Pour qu'il le lise au gars qui est avec lui et que je passe pour une jalouse ? Je ne suis pas jalouse. En quinze ans, je n'ai jamais eu de raisons de l'être. J'ai confiance en lui et je sais qu'il l'a en moi. Notre union est bâtie sur la confiance mutuelle. Je sais même pas où il est ! Et puis, c'est qui, ce représentant-là ? Si encore il était sorti avec son père. Je ne veux pas être méfiante, c'est trop laid. Puis avec un gars, il n'y a rien là. Mais s'il me mentait, si le fameux gars, c'était une fille ? Partir pour une nuit, c'est sûr que c'est pour coucher avec une fille. Que je suis conne ! Non, naïve. Il part pour une nuit avec un supposé représentant de tentes suédoises, et moi je crois ça. Il est parti me tromper avec une femme. Non, il m'aime!

Elle consulte son téléphone et lui parle comme si c'était une personne:

— Pourquoi il m'appelle pas?

Comme elle ne veut pas imaginer son mari avec une autre femme, c'est trop douloureux, elle l'imagine aux danseuses à faire des comparaisons...

J'ai pas de gros seins, pas de fesses rebondies, mais je suis mince. Je me prive de desserts que j'adore parce que, mon mari, c'est le genre androgyne qui l'excite. C'est pas lui qui irait se bourrer la face de gros tétons artificiels. Je suis peut-être pas sexy comme ces filles-là, mais je suis bonne cuisinière, j'ai de la patience avec les enfants, la maison est toujours bien tenue.

Elle se surprend à parler à Simon comme s'il était là:

— Je t'ai donné deux beaux enfants, ça compte pas, ça? Puis moi, je t'aime, les autres filles peuvent pas t'aimer comme moi. Je t'aime depuis toujours, moi. On s'est mariés pour ça, pour qu'on se jure fidélité. Moi, je te trompe pas, j'ai même pas le goût.

Mon Dieu, faites qu'il fasse pas à une autre fille ce qu'il me fait dans le lit.

Elle regarde le téléphone, le secoue comme pour vérifier qu'il fonctionne. Elle descend à la cuisine, ouvre le réfrigérateur et tire de derrière les légumes deux May West qu'elle avait cachés, en cas de besoin. Les May West avalés, elle se sent calme, très calme. Une jalousie qui s'estompe avec deux May West, ce n'est pas une jalousie féroce.

Elle remonte à sa chambre, s'assoit en lotus sur le lit et compose le numéro de téléphone de son mari. Au dernier chiffre, elle annule l'appel.

Je lui fais confiance. Il est avec un représentant, un homme. Rien ne peut lui arriver.

Contente de n'avoir pas cédé à ce qu'elle considère comme ses pulsions négatives, elle se couche, ferme la lumière et s'endort.

***

Simon et Larry sont assis dans le sable, la tente dans son emballage leur servant d'appui pour le dos. Ils ont trouvé quelques branchages et ont fait un feu sur la grève. Il ne manque que les guimauves. Ils regardent les étoiles. Larry, que le champagne et le cannabis rendent poète, déclare :

— C'est comme si on était sur le dessus du monde, juste nous deux, que les étoiles étaient notre couverture pour nous abrier, qu'on était seuls au monde, toi et moi.

Simon sourit, cette semi-poésie le surprend et l'enchante. Il se sent loin de tout, au-dessus de tout. Il se glisse sur le sable. Larry continue :

— Écoute l'eau. Y a pas plus belle musique que ça. Chut... dis rien, écoute : un concert de clapotis.

Simon, détendu par ce qu'il a bu et fumé, ne fait que répéter :

— Clapotis, clapotis, clapotis...

Il s'amuse du mot, le tourne et le retourne comme on savoure un bonbon. Larry enchaîne sur un ton de plus en plus lyrique :

— Puis les feuilles sur les branches, les entends-tu trembler, trembloter, frissonner, juste pour toi et moi ? Écoute...

Simon, sur un coude, le regarde avec admiration :

— Mais où c'est que tu prends tout ça ?

— Là !

Larry se donne un coup de poing là où se situe son cœur.

— Ouch ! Je connais pas ma force.

— Tu t'es fait mal ?

— Un peu.

Simon lui frotte la poitrine. C'est la première fois qu'il touche ainsi un autre homme. Dans la chemise entrouverte, il aperçoit une poitrine rasée de près.

Il retire sa main, se lève pour cacher une érection qui pointe. Il est désemparé.

Ça doit être le champagne ou le pot.

Pour alléger l'atmosphère, il lance :

— T'auras pas apporté un kayak pour rien.

Il se met en frais de défaire les liens qui retiennent l'embarcation au toit de l'auto. Il sent le besoin de fuir, il ne sait pas quoi. Il commence à parler pour se changer les idées :

— Dans nos premières années ensemble, ma femme puis moi, on allait souvent en amoureux au chalet de mes parents, je me souviens d'une nuit sur la petite plage, c'était comme là : l'euphorie. On a fait un tour de chaloupe, Ariane puis moi…

Et il raconte à Larry combien sa femme était désirable…

Les hommes mariés, tous pareils quand la tentation leur vient de désirer un homme : ils s'accrochent à leur femme comme à une bouée de sauvetage, pense Larry.

Simon parle, parle, parle pour noyer le désir. Larry, toujours au bord de l'extase, l'arrête de la main.

— Respire ! Prends le temps de sentir. Ça sent le pot, le feu, l'eau, la forêt, un heureux mélange, tu trouves pas ?

— Ça tourne la tête en tout cas.

Simon inspire profondément.

— J'ai une attaque de sensations, dit-il.

— T'as pas fini.

Simon prend peur soudainement. Il sent qu'il est sur une pente dangereuse.

Je n'aurais pas dû vider presque seul la deuxième bouteille de champagne, je n'aurais pas dû fumer autant de pot, moi qui n'en ai pas l'habitude. Je me sens coupable. Je déteste me sentir coupable. Pour une fois que je m'épivarde, comme dirait mon père.

Larry met le kayak à l'eau. Simon s'empare de la toile qui recouvre l'embarcation, s'en entoure les reins et se met à danser en fredonnant un air de strip-tease. Larry, surpris et amusé, chante aussi tandis que Simon se déhanche sensuellement.

Les rares fois qu'il a trop bu, il est arrivé à Simon d'agir en fille pour faire rire les copains.

— Envoye, Simon ! *Take it off.*

Simon, gauchement, s'approche d'un bouleau et joue à la danseuse lascive. Soudain, il se rend compte du ridicule de la scène et passe la toile du kayak à Larry, qui tout en chantonnant enlève son jeans, sa casquette et sa chemise.

Simon, par esprit de compétition, s'écrie :

— Attends, attends, on est des gogos boys !

Et sur le même air, il se déshabille aussi. Ils s'arrêtent de danser, cessent de chanter ; ils sont munis tous les deux d'une érection évidente.

Simon, pour cacher la sienne, se jette à l'eau et nage vers le large.

Larry plonge à son tour et rejoint Simon et, comme deux jeunes dauphins qui jouent, ils disparaissent et réapparaissent dans le reflet argent de la lune qui se lève sur le lac.

***

La chambre d'Ariane est plongée dans le silence lorsque son téléphone joue soudain *L'Hymne à la joie* à plein volume.

Ariane sursaute, ouvre les yeux, tout en se morigénant: *J'aurais dû le mettre sur le mode vibration.*

Elle se ressaisit et prend sa voix fâchée:

— Mautadit, Simon, il est quelle heure, là? Pour l'amour du ciel, veux-tu me dire…? Allô… Oui, je suis la femme de Simon Roy. Hein? Excusez-moi, qui est à l'hôpital? … Monsieur Roy, j'ai compris, mais lequel, le jeune ou le vieux?

Elle allume sa lampe de chevet et se souvient que son mari est parti pour la nuit.

— Ouf! Vous m'avez fait peur. Clément Roy, c'est pas mon mari, c'est le père de mon mari, Simon… C'est-tu grave? … Ah bon! Une entorse de la cheville… Pourquoi m'appelez-vous et pas sa femme? … Ah… Je peux pas aller le chercher à l'hôpital, mon mari est pas là et j'aime pas laisser mes enfants seuls la nuit… Qu'est-ce qu'il dit? … Qu'il prenne un taxi, je vais l'attendre chez moi… Bien oui, il sait où c'est. Il est aveugle, pas Alzheimer!

Les deux enfants, réveillés par la sonnerie du téléphone, se pointent dans la porte de la chambre.

— C'est rien. C'est grand-papa qui s'est fait une entorse. Wouche, wouche, au dodo. Il est juste deux heures du matin.

Rassurés, les enfants aux trois quarts endormis retournent chacun dans leur chambre.

Ariane n'arrive plus à dormir. Elle est perdue dans des scénarios de catastrophes conjugales quand elle entend un taxi klaxonner devant la maison. Elle descend au rez-de-chaussée, va boire un grand verre d'eau et s'assoit sur le coffre dans le vestibule pour guetter Clément qui approche péniblement. Ariane lui ouvre la porte.

— Savez-vous où est mon mari ? Il m'a pas appelée. Je suis morte d'inquiétude. Où est-il ? Le savez-vous ? Il m'avait juré...

Clément aurait aimé que sa bru lui demande de ses nouvelles, mais il compte bien lui remettre sa méchanceté sur le nez quand l'occasion se présentera.

— Mon fils, depuis que je lui ai laissé mon commerce, me raconte plus rien. C'est comme si j'étais mort. Je pensais qu'il me laisserait aller au magasin pour conseiller les clients. Il veut que je me repose. Tabarnak, je vais me reposer pour l'éternité quand je serai mort. Je suis pas fatigué, je suis aveugle...

Ariane ne l'a pas écouté.

— L'entente, c'était qu'il me téléphone en arrivant au camping.

— Pourquoi tu l'as pas appelé, toi ?

— Ben oui, puis passer pour une jalouse.

Clément a renoncé depuis longtemps à comprendre l'âme féminine.

— Je vais m'étendre sur ton sofa, si tu veux. Si je réveille ma femme, elle se rendormira pas, je la connais.

Sa belle-fille lui prend le bras, ce qu'il déteste. Il grommelle :

— Il découche astheure ?

Par loyauté, Ariane défend son mari :

— Il est parti, genre... travailler avec... vous le connaissez pas, un représentant de tentes suédoises, si j'ai bien compris.

— Ça se peut pas que je le connaisse pas.

— Larry, je sais pas qui, il est nouveau.

— Larry... Si je le connais ! Il change de job comme il change de chemises.

Il y a dans la voix de Clément un monde de sous-entendus. Ariane dépose un oreiller et une couverture sur le canapé, encore plus inquiète qu'avant l'arrivée de son beau-père.

— Je vous mets de la glace, du chaud, les deux ?

— Un éclopé aveugle, vous avez pas plus besoin de ça que d'un divorce.

Elle ne sait pas si elle doit rire, elle ne comprend pas bien l'allusion au divorce.

— Bon bien, je vous laisse la lumière ou j'éteins ?

— C'est pas drôle.

— Ça fait pas longtemps qu'on sait pour votre maladie d'yeux, je suis pas habituée, excusez-moi.

— Moi non plus, je m'habitue pas, sais-tu ?

Ariane est démunie devant l'agressivité de son beau-père.

— Bon, il est tard. Je travaille demain. Bon dodo.

— J'ai la cheville tordue et elle me souhaite « Bon dodo ».

Elle l'aide à étendre ses jambes, l'installe du mieux qu'elle peut.

Une fois allongé confortablement, soulagé, Clément lui dit :

— Larry, il est pas de notre bord.

Ariane laisse échapper un grand soupir de soulagement et grimpe l'escalier, légère et libérée.

Elle passe devant les chambres de ses enfants, y jette un œil, puis court à la sienne et s'enfouit sous sa couette. Elle s'endort aussitôt.

***

Ils sortent de l'eau en grelottant, leur érection effacée. Simon est fier d'avoir plongé dans l'eau glacée en pleine nuit. Il est plutôt frileux.

— Comment tu me trouves ?

— Cave ! Des plans pour attraper ton coup de mort. Attends, mets pas ton linge, sèche-toi avant.

Larry prend une serviette de bain dans son sac à dos et la lui lance. Il ouvre le coffre de l'auto et ramène une bouteille de vieux rhum de la Martinique.

— Bois un bon coup.

Sans vérifier la teneur en alcool, Simon boit une énorme lampée à même la bouteille. Il tousse, se secoue comme un chien mouillé.

— Tourne, je vais te frotter le dos.

Simon, qui tremblote encore, se laisse faire.

— J'ai une bonne technique de natation, hein ?

Larry, ébloui par le dos de son compagnon, frotte toujours.

— J'aurais pu faire les Olympiques un temps, mais mon père avait décidé que si je voulais avoir le magasin un jour il fallait consacrer tout mon temps libre au commerce.

Il se dégage et tente d'enfiler son jeans.

— Tu mettras ton linge quand ta circulation sera revenue. T'es encore gelé.

Simon frissonne de la tête aux pieds. Il présente sa poitrine au frotteur d'occasion, mais cache son pénis rabougri, rapetissé, à l'état de larve.

— Maudit que t'es cave de te baigner dans l'eau glacée du début de juin.

— Toi, tu penses que c'est pas cave de me suivre dans l'eau glacée de juin ?

— On a quelque chose en commun, on est deux caves gelés ben raide.

Ils rient.

Larry retourne au coffre, en sort un sac de couchage roulé en un fin rouleau.

— Excepté que moi, j'ai ça.

— Un ? Deux ?

— Un, mais un grand pour deux. C'est le seul que j'ai. Un sac conjugal. Celui de ma blonde.

Simon, qui commençait à se demander s'il n'était pas victime d'une machination de séduction, se répète : *Larry vit en couple, sa blonde attend un bébé.*

Il tremble de plus en plus. Il a beau prendre de grandes respirations, c'est comme si tout son corps était en mode frisson.

Larry a ouvert un côté du sac et s'y glisse nu.

— Je vais te réchauffer, moi. Y a que le corps pour réchauffer un autre corps !

— On pourrait ouvrir la chaufferette de l'auto.

Autant il a peur de ce qui peut arriver, autant il est attiré par ce qui peut arriver. Simon se met à claquer des dents et finalement rejoint Larry. Ils sont d'abord côte à côte dans le sac de couchage, puis ils se prennent à bras-le-corps pour laisser la chaleur les envahir petit à petit. Ils se regardent, perdus dans leur désir réciproque, et tout naturellement leurs bouches se joignent.

Le lendemain à l'aube, un écureuil, surpris qu'un sac de couchage contienne une bête à deux dos, se sauve en criant.

Simon sort un bras.

— J'ai chaud. Pousse !

— Hein ?

— Je veux sortir d'ici. Ouvre le sac de couchage ou je le déchire.

Larry, dans un demi-sommeil post-extase, tente de le reprendre dans ses bras.

— Je veux sortir !

Simon l'a dit avec une telle force que Larry ouvre ses bras qui le retenaient, le laissant libre.

Simon, nu, une main cachant son sexe, cherche ses vêtements, les trouve étendus sur le siège d'auto, les endosse et disparaît dans la forêt pour uriner. Larry s'extirpe du sac de couchage. Simon revient.

— La tente ?

— Tu m'enverras les informations par courriel. Je sacre mon camp.

— Ça va prendre dix minutes... La tente, c'était le but de l'excursion.

— Je veux arriver à la maison avant le départ des enfants pour l'école.

— J'ai apporté tout ce qu'il faut pour déjeuner au bord de l'eau. J'ai faim.

— Pas moi. Envoye! Embraye!

Larry est perdu dans sa contemplation de la nature.

— Regarde, le soleil se lève, c'est pas souvent qu'on voit ça. Regarde, c'est comme un coucher de soleil, excepté qu'il se lève. Je veux dire, c'est aussi beau.

— Heille, crisse!

Simon a ramassé les bouteilles vides, les a jetées dans le coffre. Il s'assoit dans l'auto, se croise les bras.

Larry enfile ses vêtements, prend lui aussi le chemin de la forêt.

— Où tu vas?

— Pisser!

Simon est en colère contre lui, d'une colère sourde, profonde. Lorsque Larry revient, il lui dit:

— C'est pas une demande, c'est un ordre: on s'en va.

— Je te dis, la tente, ça prendrait pas cinq minutes. Elle a même un système intégré pour t'avertir si un ours ou une autre bestiole du même acabit...

Simon sort de l'auto, lui saisit un bras, le soulève presque, ouvre la portière et le pousse sur son siège.

Larry est surpris:

— Qu'est-ce qui te prend?

— J'ai hâte d'arriver à la maison.

— Il est pas six heures encore. Regarde sur la banquette arrière, j'ai un dépliant...

— J'en ai pas besoin, j'en achèterai pas, de tes maudites tentes.

— Elle est climatisée, chaude l'hiver, froide l'été.

— Ferme ta gueule!

Ils ne s'adresseront pas la parole de tout le trajet d'une heure et trois quarts.

Quand ils s'arrêtent, Simon met la main sur la poignée de la portière et Larry met sa main sur son bras. Il se dégage.

— Simon, pour la tente, on peut se reprendre. Je peux la monter dans ta cour, un midi...

— Je pense pas vendre tes tentes dans mon magasin, tu comprends pas le français ?

— On pourrait luncher ensemble, juste pour se jaser.

— J'ai pas le temps.

— Tu veux plus me revoir ? demande-t-il, en mettant sa main sur la cuisse de Simon.

Celui-ci sort de l'auto, ouvre la portière arrière, prend son sac à dos. Larry reste doux.

— Merci !

— Arrête ça !

— T'as pas pu oublier, Simon.

— Quoi ?

Larry hésite.

— Ce qui s'est passé.

— Il s'est rien passé !

Il claque la portière pour bien souligner ce qu'il compte faire de cette aventure imprévue.

Simon sort de la douche. Il est resté longtemps sous l'eau chaude à s'enlever tout relent de la nuit. Il se frotte durement avec sa serviette, la plus rugueuse, celle de lin rouge. Il s'est tellement savonné fort que sa peau est de la même couleur que la serviette. Une fois tout à fait sec, de la tête aux pieds, il se jette sur le lit. Des souvenirs de sac de couchage l'assaillent. Il a beau chasser ses pensées, son pénis se souvient, n'oubliera pas de sitôt. Il enfile un large boxer pour dissimuler son excitation qui perdure. Il parle à son pénis.

Non, c'est pas toi qui mènes, c'est moi.

Il continue de s'habiller.

C'est pas arrivé, j'ai rêvé ça. Pas moi. Je suis hétéro.

Il crie :

— C'est pas arrivé !

— Qu'est-ce qui est pas arrivé, mon amour ?

Ariane, qui commence plus tard ce lundi-là, revient de conduire les enfants à leur école respective.

— Euh... Une commande au magasin. C'est rien. Moi, quand je commande puis qu'y a rien qui arrive... C'est dans l'avion... C'est aux douanes...

Elle a vu la bosse dans le boxer. Il n'y a rien qui l'excite plus qu'une érection ; c'est la preuve qu'elle est désirable, croit-elle. Elle se glisse à ses côtés, aimante.

Ah non, pas ça, pas là !

Il ne sait pas quoi dire à sa femme, il faut qu'il trouve quelque chose d'intelligent, il ne trouve pas, alors il l'embrasse, elle qui, charmée, l'enlace.

— Tu t'es ennuyé de moi, ç'a l'air ?

— Tellement.

Il lui semble inconvenant que sa femme profite d'une érection provoquée par le désir d'un autre. Alors il se lève.

— Je suis déjà en retard et je dois partir au magasin.

Elle insiste :

— J'ai le goût. Ma nuit sans toi... Tu sais que c'était ma première nuit seule dans notre lit depuis...

— Aie pas peur, y en aura pas d'autres.

Le ton est définitif.

— Non, c'est correct, une fois de temps en temps, ça me fait t'apprécier. C'est vrai, cette nuit, j'ai compris à quel point je tenais à toi.

Il dépose un petit bec sur le bout du nez de sa femme. Elle en profite pour l'entourer de ses jambes et le faire tomber sur le lit. Elle lui susurre à l'oreille:

— Je te veux.

Les mêmes paroles que l'autre, la même position. Son pénis, qui s'était avachi au son de la voix conjugale, se ragaillardit.

— Une petite vite d'abord.

Tant qu'à être bandé...

Ils consomment, lui, pour atteindre l'orgasme, elle, pour l'avoir en elle et faire un avec celui qu'elle choisit tous les jours.

C'est une petite vite d'à peine quelques minutes, il ne s'est même pas déshabillé complètement. Elle n'a pas joui, ça lui prend plus de temps, mais elle a eu ce qu'elle voulait, le plaisir d'être complétée, possédée par celui qu'elle aime, le plaisir de ne faire qu'un avec la personne aimée.

Ariane en profite pour lui raconter l'entorse de Clément.

— Ça fait que j'ai quasiment pas dormi de la nuit, alors que toi t'étais sur le party.

— J'étais pas sur le party!

— Tu t'es amusé quand même, deux hommes ensemble, on sait ce qui se passe.

Est-ce que ça paraît tant que ça?

— Je t'empêche pas de faire pareil, si tu veux.

— Je supporte pas la boisson.
— Je me suis pas soûlé.
— Ben, qu'est-ce que vous avez fait ?
Simon prend la décision de mettre fin à ce jeu de la vérité en l'attaquant. Ça fonctionne toujours.
— Veux-tu un rapport détaillé à la minute près ? On a parlé, on a monté la tente, on a pris une bière puis deux puis peut-être trois. C'était pas prudent de revenir, ça fait qu'on a roupillé, moi dans la tente, lui dans l'auto. Me v'là.
— Je m'excuse, je voulais juste savoir… Avez-vous bien mangé toujours ?
— Hein ?
— Avez-vous mangé au restaurant ?
— Oui, oui.
Il se rend compte qu'il n'est pas habitué de mentir et qu'il a peu d'imagination.
J'ai besoin de m'améliorer. Non. C'est terminé, fini.
— Je te raconterai ça ce soir.
— Simon, ton père ?
— Hein, quoi, mon père ?
— Son entorse ?
— Ce soir.
Il quitte la chambre. Il la fuit, elle et ses questions. Elle le rattrape :
— Attends, je suis pas bien quand t'es pas là et je déteste ne pas être bien. Quand t'es pas là, c'est comme si j'étais dépendante. J'ai attendu ton téléphone toute la soirée.
Comme il craint que la scène n'en finisse plus, il tranche :
— Moi non plus, je suis pas bien quand t'es pas là. J'ai pensé à toi tout le temps.

Il se dirige déjà vers la sortie.

Ariane est désarçonnée, se raccroche à la dernière phrase de son mari, se la répète pour se calmer.

Ce n'est pas qu'elle ne le croie pas, c'est qu'elle veut entendre « Je t'aime » pour être rassurée. Ils se quittent sans plus d'explication.

Dans son auto, Simon peut enfin retourner en pensée à Larry.

Pour la première fois, je me sens vivant, je suis vivant. C'est comme si Larry me propulsait dans la vraie vie, la mienne. Je sais enfin qui je suis. Je suis celui qui tombe amoureux d'un autre homme. Non, il ne s'agit pas d'amour. Ça peut pas être ça, l'amour. L'amour, c'est un homme et une femme qui s'unissent pour faire des enfants, pour continuer ce que les hommes et les femmes ont fait depuis le début du monde. Avec Larry, c'est… c'était… du sexe, mais c'était magique. C'est ça, je suis homo puis je le savais pas. Je suis gai. Je suis gai ! Non, impossible, je suis marié, père de famille. J'aime les femmes. J'aime ma femme. Moi, je voulais pas, c'est lui. C'est faux. Ça m'a déjà tenté avec lui, la première fois que je l'ai vu. Je m'en souviens, il était en sandales et portait un jeans blanc, un chandail de laine rayé bleu et blanc à même la peau. Je l'ai désiré, oh comme je l'ai désiré, mais j'ai fait comme je fais chaque fois que ça me prend, ce désir, je l'ai chassé comme une mauvaise pensée et je me suis forcé à revenir à mon plan de vie. Être gai n'entre pas dans mon plan de vie. Je ne veux pas être différent, je veux être comme le gars d'à côté. Je veux pas faire partie d'une minorité moquée, ridiculisée ! J'ai une business dans une banlieue où tout le monde me connaît. Je suis apprécié et j'ai de l'ambition.

Je veux réussir dans la vie. J'ai appris très jeune qu'on ne pouvait pas tout avoir. Moi, j'ai choisi l'honorabilité, la stabilité, l'équilibre. J'ai peur d'aimer ça, si je donne suite à mon désir. Peur d'aimer un homme, moi qui aime ma femme. Non, il n'y a pas que le sexe entre Larry et moi, il y a… Comment dire? Lui, il a… tout ce que j'ai pas et que je voudrais avoir, de l'assurance, de la douceur puis de la force. Il est aventurier, drôle, léger. Moi qui suis si sérieux, ennuyant. Il est libre et moi je suis engagé jusqu'aux… Je peux pas… C'était une erreur, une faiblesse. Ça ne se reproduira pas. Pourquoi? Parce que c'est pas correct? C'est peut-être correct pour un gai, mais pas pour moi, je suis pas gai. Je viens de faire l'amour à ma femme puis c'était bon. Aussi bon, différent évidemment, mais l'orgasme, c'est l'orgasme. Je veux les deux. Lui et elle, elle et lui. Pas possible. Il me faut choisir et je suis de nature indécise. Qu'est-ce que j'ai fait là? J'ai trompé ma femme et je suis un gars fidèle. Je lui ai juré fidélité. J'ai juré de ne pas la tromper avec une autre femme, mais avec un gars peut-être que ça compte pas. Quelqu'un me ferait ce raisonnement-là, je le traiterais de con. Je suis con.

Simon se gare dans la ruelle, à l'arrière du magasin, quand il aperçoit l'auto de Larry. Son cœur se met à battre si fort qu'il doit s'appuyer sur le volant pour se calmer. Sa bouche devient sèche, soudainement, il a du mal à respirer.

Larry sort de son auto, s'approche de la portière de celle de Simon. Celui-ci est en train de fondre sur son siège.

Il est trop beau, c'est un dieu.

Il a chaud, il transpire, il tremble.

Larry balance le sous-vêtement de Simon devant son nez. Ce dernier baisse sa vitre, sa voix est chevrotante quand il profère sur un ton qui se veut bourru :

— Qu'est-ce que tu veux ?

— Te rapporter ça au cas où ta femme le chercherait. Il était dans le fond du sac de couchage.

— Merci.

— On se revoit ?

— Non ! Je suis marié et hétéro !

Il le lui a crié presque.

Larry est calme. Il connaît l'ampleur de son charisme.

— Puis ça change quoi ?

— Ça change que c'est une erreur. Je suis pas... comme toi.

— Je suis quoi, d'après toi ?

Larry affiche une nonchalance que Simon aimerait bien posséder en ce moment.

— Je suis quoi ?

— Ben...

Plusieurs mots vulgaires et blessants lui viennent à l'esprit, mots dont il se servait à l'endroit des compagnons différents à l'école.

Il en choisit un pour ne pas le blesser :

— Gai ? T'es gai.

— Ça te fait du bien de me mettre une étiquette, comme ça tu peux me caser dans une boîte, mettre le couvercle dessus. Classé « Larry est gai ». Il y a les homos et les hétéros, c'est coupé carré.

— Tu l'es, chose !

— Toi, dans ta boîte marquée hétéro, moi, dans la mienne cochée homo. Y a moins de danger de se mélanger. Mais des fois, il arrive que, la lune, les étoiles aidant, les hormones, les maudites hormones...

— Il s'est rien passé la nuit dernière!

Larry rit. Il rit souvent depuis qu'il a fait blanchir ses dents.

— J'étais là, je sais ce qui s'est passé. Veux-tu que je te rafraîchisse la mémoire?

Pour en finir au plus coupant, Simon sort de l'automobile et affronte son ami:

— Écoute-moi bien, Larry, ce qui s'est passé l'autre nuit, ça compte pas, j'étais pas moi-même. Moi, le champagne, ça me fait pas, ni le pot. Puis à part ça, avoir su que t'étais gai, j'aurais jamais accepté ton invitation.

— T'as peur de quoi?

— Tout ça, c'était manigancé. Tu m'as pris au dépourvu.

— T'aurais pu me remettre à ma place. J'insiste jamais.

— Je te dis, j'ai pas l'habitude des…

— Des quoi?

— Des homosexuels, sans ça…

— Je suis pas homosexuel.

Et il reprend très sérieusement:

— Je suis pas homosexuel, je suis bi, bisexuel…

Simon a passé la semaine à attendre la venue de Larry. Il est resté collé au magasin au cas où il passerait. Il a songé mille fois à lui téléphoner ou à lui envoyer un courriel ou même, au pire, un texto, mais il s'est retenu. Et plus il se retient, plus son désir augmente. Cent fois il est allé voir dans la ruelle si par hasard son auto n'y serait pas garée. À chaque minute, il prend la décision de ne plus jamais le revoir, mais il n'a qu'un désir : le voir apparaître dans la porte du magasin. Non, il ne se précipiterait pas dans ses bras, oui, il le repousserait, le jetterait dehors s'il le faut, mais au moins il le verrait une dernière fois. Simon sait qu'il faut fuir cet homme s'il veut épargner sa famille, mais il est attiré par l'inconnu, le défendu.

C'est rendu que je pense à lui tout le temps. Il m'habite. Je rêve de lui. C'est mon âme sœur, ma moitié. Il est tout ce que je voudrais être. Il est beau, jeune, fait au couteau. Je ne lui connais pas de défauts. C'est le charme incarné. Je ne veux pas l'aimer parce que ce serait trop grave pour moi et ma famille, mais c'est comme si mon corps voulait ce que ma raison refuse. J'ai jamais ressenti ça pour quelqu'un d'autre, même pas pour ma femme, avec qui je suis bien. Avec lui je connais enfin ce qu'est la passion. C'est ça, la passion. Je suis avec lui dans des montagnes russes. Je le veux. Je ne peux pas l'avoir. Je vais tomber, au secours. Je ne me reconnais plus depuis la nuit… la fameuse nuit, celle de la révélation. Je ne suis pas homosexuel ! Je ne désire pas un homme, je désire une personne, homme ou femme. Pourquoi mes hormones l'ont choisi, lui ? C'était écrit dans le ciel que je devais le rencontrer. Je comprends maintenant l'histoire de Cupidon. Je me sens transpercé par une flèche et j'ai l'impression de tomber dans un puits sans fond. Mon bonheur dépend de sa présence et il n'est pas là… je meurs.

Le téléphone sonne. C'est Larry qui invite Simon à le rejoindre au restaurant.

Le restaurant est bondé. Simon et Larry mangent des huîtres au bar. Amusé, Larry regarde Simon en avaler.

— C'est la première fois. Je pensais que c'était juste visqueux. C'est bon, ça goûte la mer.

— C'est ça.

— Quoi, ça ?

— Si t'essayes pas des nouvelles affaires, comment peux-tu savoir ce que t'aimes ou t'aimes pas ?

— Je suis un maudit peureux.

— Toi ? Non. Tu as repris le magasin de ton père, tu l'as sorti de la faillite.

— Non, ça marchait bien…

— Que ton père disait. Avant toi, le magasin, c'était ancien. C'est juste si ça sentait pas le vieux crachoir. Là, c'est moderne, jeune, design. L'idée du café haut de gamme vient de toi, ton père aurait pas pensé à ça.

— En fait, c'est ma femme qui a vu ça en ville.

— Mais c'est toi qui l'as matérialisée.

— C'est vrai.

— Ton père le sait-il pour la machine à café ?

— Non !

— T'es capable de mentir à ton père, de t'opposer à lui, t'es pas peureux. Je te trouve courageux, moi.

— Tu trouves ?

Simon est tellement remonté dans son estime qu'il s'envoie trois huîtres d'affilée.

Larry laisse son compagnon cuver ses compliments.

— T'as pas peur de ta femme toujours ?

— Bien non, voyons !

— Il me semblait bien.

— J'ai pas peur d'elle, j'ai peur de lui faire de la peine. C'est une maudite bonne femme.

Au même moment, Simon voit Ariane entrer dans le restaurant. Elle discute avec une serveuse. Elle tourne la tête vers lui, puis les rejoint au bar. Simon, manifestement troublé par cette apparition, accueille sa femme et la présente à Larry, puis se met à parler d'elle et de ses immenses qualités, de sa beauté, de son intelligence. Ariane, qui a les antennes sensibles, ne reconnaît pas son mari. Simon n'est pas lui-même, il se montre plus volubile, plus joyeux, plus aimant. Elle décèle l'influence de Larry, qu'elle n'aime pas, sans qu'elle puisse dire pourquoi. Elle pose sur ce dernier un regard glacé. Elle sait dans son for intérieur qu'elle est en face d'un ennemi, mais ne peut pas soupçonner l'enjeu de la guerre.

Elle picore dans une salade de pomme verte et fenouil, boit un verre de vin blanc et écoute à moitié ce que les hommes se disent maintenant que Simon l'a grimpée sur son piédestal, comme pour l'éloigner de lui. Bien sûr, il est question entre eux des fameuses tentes suédoises. Que Simon a finalement commandées. À la fin du repas, fatigués de faire semblant, ils se souhaitent bonne nuit et se quittent en se serrant la main.

Dans l'auto, le silence s'installe comme après un accident de la route. Arrivé à la maison, le couple monte à sa chambre sans se parler, puis c'est Simon qui éclate :

— Tu me suis, maintenant ? Je suis allé manger avec un représentant. C'est un crime ?

— Qui c'est, ce gars-là ? Tu l'as pas vu te regarder ?

— Je peux pas voir quelque chose qui existe que dans ton imagination.

— J'imagine pas ça, je l'ai vu te couver des yeux.

— Il est myope, c'est pour ça.

— Il est en amour avec toi, ça saute aux yeux.

— Elle est bonne, celle-là. Tu devrais écrire pour la télé, t'as de l'imagination.

— Ton père m'a dit, et je le cite : « Il est pas de notre bord. » Ça dit ce que ça veut dire. Il te flirte, tu t'en aperçois même pas.

— Qu'est-ce qu'il connaît, p'pa, là-dedans ?

— Il est gai, ton Larry. Dis-le.

— Je te jure que non.

— S'il est pas gai, il est marié, beau de même.

— Je le sais pas. Je le lui ai pas demandé…

— Accoté ?

— Je le sais pas.

— S'il est ni marié ni accoté, beau comme il est, il est gai. Qu'il le dise, qu'il est gai, comme ça on le saura.

— On peut y faire porter un brassard sur sa veste, comme les Juifs dans les ghettos avant la Deuxième Guerre, puis le tuer, lui puis ses semblables.

Ariane ne comprend pas l'agressivité soudaine de son mari. Elle se tait, puis ajoute :

— J'aime mieux ça que d'autre chose.

— Que quoi ?

— Que ce soit une belle fille qui te drague. Avec un gai, c'est pas dangereux même si lui te mange des yeux.

Simon a un petit sourire qu'elle ne peut pas déchiffrer.

— Bon, t'es rassurée, là ?

— Oui.

Et elle dit vrai, elle est rassurée complètement.

En se lavant les dents avant d'aller dormir, ils retrouvent leur conversation quotidienne, les enfants, les parents, leur travail respectif. Une fois au lit, ils s'embrassent, se prennent dans les bras.

— Bonne nuit, mon amour.

— Bonne nuit, mon amour.

Ils ne dorment pas tout de suite, isolés dans leurs pensées.

Mon mari m'aime, je suis folle d'être jalouse de toutes les filles qui sont plus belles que moi. Qu'est-ce que je ferais si j'apprenais qu'il me trompe ? Je mourrais ! Bien non, quand mon père est parti avec une autre femme, je suis pas morte. Je suis pas morte, mais presque. J'avais juste dix ans, mais je m'en souviens. Je l'ai cherché pendant toute mon adolescence. Et puis j'ai trouvé Simon. J'ai refait confiance aux hommes. Lui, il partira pas, il me laissera pas pour une autre. Simon, il ment pas, lui.

Simon réfléchit.

C'est décidé. C'est fini. Je dois mettre fin à cette folie-là. Je suis un être raisonnable. Depuis que j'ai quatorze ans que je travaille au magasin avec mon père, je veux être reconnu de mes concitoyens, être riche, puissant. Le respect, c'est une valeur fondamentale pour moi, aussi importante que la richesse. Laisser une trace. Ce n'est pas une histoire de cul qui va venir saboter ce que j'ai et mettre en péril ce à quoi j'aspire. C'est pas une histoire de cul, mais une histoire de passion. Depuis ce fameux dimanche, Larry me possède comme on est possédé du démon. Je pense toujours à lui. Je le veux près de moi, en moi. Je veux respirer son air. Je me sens important à ses côtés. Je l'aime comme je n'ai jamais aimé. Ç'a pas d'allure. Je suis devant un gouffre et je veux sauter, et je sais que personne ne peut m'arrêter, même pas la femme que j'aime, même pas mes enfants. Demain, je revois Larry puis je lui dis que c'est terminé. Je ne veux plus le voir jamais. D'autant plus que je ne suis même pas homo.

***

Le lendemain, Simon écrit des textos à Larry. Pas de réponse. Il l'appelle sur son cellulaire et n'arrive pas à le joindre. Il lui envoie des courriels. Toujours rien. Il n'y a pas de plus grande frustration que d'être sans nouvelles de quelqu'un qui a tous les moyens de communication à sa disposition. Simon est au désespoir. Au retour à la maison, il s'arrête chez son père.

Il connaît Larry. Il va me parler de lui. Je vais au moins en entendre parler si je ne peux pas le voir…

Son désir est exacerbé par l'absence. Il a du mal à mettre de côté une idée qui s'agrippe à son cerveau, le rend fou: Larry initiant un autre homme à la tente, refaisant avec un autre les mêmes gestes. La jalousie lui darde le cœur.

Il trouve son père seul, en train de tenter de mettre ses souliers.

— Ta mère est jamais là quand j'ai besoin d'elle. Elle va bercer des bébés malades à l'hôpital puis elle me laisse là, incapable de mettre mes chaussures.

— Je vais te les mettre, moi, p'pa.

— Il y a un an, j'étais un homme… Je perds la vue, j'ai une entorse, je suis comme un nouveau-né, pas capable de me débrouiller par moi-même. Amène-moi vite à la toilette, ça presse.

— Avec plaisir.

— Je comprends que ça te fasse plaisir. Tu m'as à ta merci.

— C'est pas ça, p'pa.

— C'est humiliant d'être l'enfant de son enfant.

— Sers-toi des béquilles. Je suis allé les louer à la pharmacie.

— Un aveugle en béquilles ! Aussi bien me fournir un verre en styromousse pour quêter.

Simon soutient son père jusqu'à la porte de la salle dc bain, y entre avec lui.

— Je suis capable !

Le père repousse son fils.

— Accroche-toi à mon cou, p'pa. Je vais t'asseoir sur le trône.

— Puis tu vas m'essuyer tant qu'à m'infantiliser.

— Je m'excuse, moi je veux juste bien faire…

— Tu m'énerves. Reste pas là !

— Je veux juste t'aider.

— Réponds pas !

Simon, en refermant la porte, comprend que son père n'est pas d'humeur à parler de Larry. Il s'appuie au mur du corridor et, en attendant Clément, il retourne au bord du lac, dans le sac de couchage, là où il a découvert la passion, le sexe, son identité sexuelle…

Je suis pas gai !

Ses pensées tournoient dans sa tête. Une véritable tempête. C'est juste s'il entend son père cogner à la porte depuis l'intérieur de la salle de bain.

— Prêt à sortir ?

— Non, je vais passer la nuit ici dedans !

Simon constate que son père a changé depuis qu'il est à la retraite. Lui si doux, si généreux de son temps, si ouvert est devenu un bougonneux, haïssable, hargneux et injuste.

Si c'est ça, la vieillesse, j'aime mieux mourir jeune.

Revenu au salon, Clément ferme les yeux comme s'il voulait dormir. C'est le signal de départ. Mais le besoin de Simon d'entendre parler de Larry est si pressant qu'il se tire une chaise près de la berceuse de son père.

— Je suis allé avec Larry à une démonstration de sa fameuse tente.

— Puis tu t'es fait avoir ?

— Non, p'pa, je me suis pas fait avoir. C'est un super bon produit.

— Larry, quand il veut quelque chose, tous les moyens sont bons. Tiens-toi-z'en loin. Il est dangereux.

Simon se demande si son père est au courant de sa fugue.

— Je l'ai vu faire, ton Larry.

— Tu l'as vu faire quoi ?

— Enfirouaper le monde. C'est le roi de l'enfirouapage. Ce gars-là, s'il veut te vendre quelque chose ou une idée, dis non, un vrai non, sans ça il lâche pas. Puis il est pas de notre bord. Ceux-là, moi je les *truste* pas. Bon ! Je pense que je vais faire un somme.

C'est une autre façon de faire savoir qu'il veut que son fils parte. Simon se demande vraiment si son père se doute de ce qui est arrivé.

— T'as pas confiance en lui ? Pourquoi ?

— Parce qu'il est homo quand ça fait son affaire puis *straight* comme toi puis moi quand ça l'arrange. Moi, un vire-capot ! Il paraît qu'il a une femme puis qu'il couche avec des hommes. Je suis pas homophobe, la preuve c'est que j'y parle comme si c'était du vrai monde, qu'il fasse ce qu'il veut dans son appartement, je veux pas le savoir, mais je veux pas l'encourager non plus. Moi, du monde qui se branche pas ! Qu'il se décide puis on aura du respect pour lui. Tiens-toi loin, mon garçon, des gens sur la clôture, ils sont en position instable. On peut pas tout avoir.

— Tu penses qu'il est bisexuel ?

— Tu crois à ça, toi, la bisexualité ? T'es ben naïf, mon pauvre garçon. Il y a des hétéros, puis des homos. Les autres, c'est des débauchés qui veulent toute. Je suis contre ça. On est pas sur la terre pour s'amuser.

— Pourquoi alors ?

— Pour… se marier, fonder une famille, qui est la base de la société. On a été mis au monde pour procréer. Regarde Sodome et Gomorrhe.

— De toute façon, la blonde de Larry est enceinte.

Clément arrête de se bercer.

— Tiens-toi loin pareil !

Mais Simon a besoin d'en savoir plus. Parler de Larry, c'est être avec lui, s'emplir de lui.

— Mis à part sa bisexualité, c'est un gars correct quand même ?

— C'est eux autres qui propagent le sida.

Simon reçoit ce coup en plein plexus. Pas un instant il n'a pensé à cette éventualité. Il est sous le choc. Pour cacher son trouble à son père, il trouve un prétexte pour retourner chez lui. En chemin, il songe à sa relation non protégée cette nuit-là.

J'ai-tu attrapé quelque chose ? S'il fallait que j'aie donné le sida à ma femme !

Un éclair électrique le traversant de bord en bord ne l'aurait pas plus secoué.

Il faut absolument qu'il parle à Larry. Il a besoin de savoir s'il est atteint. Il s'arrête sur le pas de la porte de la maison et tente de le joindre par téléphone. Abonné absent.

Comme tous les soirs de la semaine, le souper a été expédié. Les enfants étudient chacun dans leur chambre en prévision des examens de fin d'année. Ariane est au téléphone avec ses collègues. Elle organise un voyage entre filles à Cape Cod pour le mois d'août. Simon, inquiet, arpente son terrain, ramassant ici et là les débris qui jonchent le sol. Rendu au bord de la piscine, il s'étend dans le noir sur une chaise longue, sort de sa poche son téléphone, compose pour la dixième fois le numéro de Larry. La peur du sida lui a fait prendre une décision. Il veut avertir Larry de ne plus chercher à le revoir ni au magasin ni ailleurs. C'est le répondeur. Il ferme l'appareil sans laisser de message. Il répète dans sa tête ce qu'il va lui dire au téléphone parce que, s'il le rencontre, il est fait…

Voici ce que je vais lui dire sans lui laisser le temps de placer un mot : « Larry, je veux qu'on arrête de se voir, car ça serait fou de perdre tout ce que j'ai pour une aventure. Et puis, je suis normal, je suis hétéro comme la grande majorité des hommes, et ce n'est pas un petit écart de conduite qui fait de moi un homo. Je ne veux pas vivre dans le mensonge et je ne m'embarquerai pas dans le risque de transmission du sida même si tu me proposes de te protéger ou si tu m'assures que c'est sans danger. » Puis je vais raccrocher et ça ne sera pas pire que la fois où une cliente m'a flirté et que je l'ai rabrouée. J'ai dit « non ». J'ai choisi la fidélité. J'ai choisi de respecter ce que j'ai juré à ma femme au pied de l'autel. Je sais pas ce que pense Larry de la fidélité... Je vais lui envoyer un texto. Non, j'en ai déjà trop envoyé. Non, je vais attendre de le rencontrer pour lui dire en personne que c'est fini nous deux même si, pour la première fois de ma vie, j'étais excité à ne pas en voir clair, à vouloir mourir. J'ai compris ce que voulais dire la passion. Je veux-tu vivre ça ? Non ! Non ! C'est trop compliqué. Il va me comprendre, c'est un chic type. Il va me laisser aller, il peut coucher avec tout le monde, lui, homme ou femme, il a le choix, le meilleur des deux mondes.

À ce moment, Larry surgit de derrière la haie de cèdres, se glisse dans l'autre chaise longue comme un chat.

Simon se redresse, surpris, mais ne crie pas. Il parle tout bas :

— Qu'est-ce qui te prend ?

— J'avais besoin de voir ton beau *body*. Je voulais juste te regarder à travers les grandes fenêtres de ta maison. Mais je te trouve ici, je suis chanceux. Pousse. On a partagé un sac de couchage, on peut partager une chaise longue.

— Non !

— Chut !

Simon tremble de tout son corps. Ce n'est pas tant la peur de se faire prendre que le désir qui fait vibrer son corps.

— Pas ici, pas chez moi !

— Allons dans mon auto, je suis garé loin du lampadaire.

— Non. Non et non.

Les « non » de Simon sont de moins en moins convaincants. Larry poursuit :

— On peut aller au motel, il y en a un sur l'autoroute, pas loin.

— C'est fini, nous deux. Je suis pas ce que tu penses. C'était la boisson, le pot, j'ai perdu la carte. Je me souviens même pas de ce qui s'est passé. Je… Va-t'en. Oublie ça ! C'est pas possible, j'aime ma femme.

— Un n'empêche pas l'autre.

— Je suis hétéro, je te dis.

— Oui, pis ?

Le calme de Larry le désarçonne.

C'est vrai dans le fond : oui, pis ?

Sa raison qui l'avait quitté revient doucement :

— Mais, Larry, je suis pas comme toi. Je peux pas être bi, j'y crois pas, à la bisexualité. Ou bien t'es aux femmes, ou bien t'es aux hommes.

— Ou aux deux. La preuve…

Simon, à bout d'arguments, choisit d'invoquer la fidélité conjugale, promise le jour du mariage :

— Larry, j'ai trompé ma femme et c'était la première fois, je recommencerai pas, c'est trop difficile. Je suis pas un bon menteur, je rougis chaque fois que je mens…

— Tu vas t'habituer…

— Je veux pas mentir à ma femme. Je pourrai pas la regarder dans les yeux. Ma décision est prise. J'ai eu une faiblesse, mais j'en aurai pas d'autres.

La porte coulissante s'ouvre sur la terrasse en grinçant – il oublie toujours d'huiler le ferrement. Ariane apparaît. La lumière de la cuisine rend sa robe de nuit transparente.

Simon prend le bras de Larry et projette ce dernier à terre. Il le force à ramper jusqu'au barbecue puis sous la haie de cèdres, là où les enfants se terraient quand ils jouaient à la cachette.

Ils ont tous les deux les yeux rivés sur le corps désirable d'Ariane.

— Simonnnnn ! Simonnnnnnnnnnn… !

Ariane sonde le noir tout autour puis referme la porte, éteint la lumière de la cuisine et disparaît.

Simon et Larry, qui avaient retenu leur souffle, respirent d'un même élan. Ils sont si près l'un de l'autre que leur haleine s'entremêle. Le désir les enveloppe, les consume, les jette l'un sur l'autre. Larry se dégage, mais Simon le retient, lui prend la main et la met sur la bosse que fait son pénis en érection dans son bermuda. Larry le repousse, il a son orgueil. Des amants, il peut en avoir en un clic sur son iPhone. Il lui faut plus, une passion, courte, mais ardente. Il vit sur la crête des montagnes. En amour, il lui faut le sommet ou rien, alors il lui jette avec mépris :

— Va rejoindre ton épouse, tu la baiseras en pensant à moi.

Larry sort de la haie, se rend à son auto, ouvre la portière, s'assoit et tourne la clé du moteur.

Simon tente d'ouvrir la portière du côté passager. Larry actionne le verrouillage. Simon devient fou, les obstacles décuplent son désir. Il grimpe sur le capot et crie à travers le pare-brise en le frappant :

— Je te veux !

Larry déteste les démonstrations publiques du désir. Il espère que Simon va reprendre ses sens et descendre du capot, mais celui-ci s'y accroche et continue à frapper.

Larry, impatient, pèse sur l'accélérateur. Simon glisse du capot et tombe sur l'asphalte. Heureusement, ses années d'entraînement l'ont habitué à se protéger. Il se relève, regarde autour de lui, personne.

Maudit fou de tarla! Faut-tu être imbécile!

Il a eu tort de céder à ses bas instincts – c'est ainsi qu'il appelle la passion qu'il a pour Larry. Il se jure de le mettre dehors si jamais il se présente au magasin. Il s'en veut de n'avoir même pas mentionné sa crainte du sida. Il se déteste. Il le déteste. Un fantasme doit rester un fantasme.

Ce soir-là, il ne caresse même pas sa femme. La peur de la contaminer lui enlève tout désir. Il a une bonne excuse, c'est un mardi, mais quand viendra dimanche, quatre heures, que fera-t-il? La nuit sans sommeil est longue.

Les jours traînent. Les minutes semblent s'étirer à l'infini. C'est une sensation nouvelle pour Simon ; il a toujours trouvé que le temps passait trop vite. Rien n'arrive à l'intéresser. Il erre dans le magasin comme un mari qui attend sa femme enfermée dans la salle d'essayage. Il peut rester une heure à regarder une canne à pêche sans la voir. Larry l'habite corps et âme, il le vampirise. Il se sent possédé. Il négocie avec sa conscience.

Je vais le revoir juste une fois, une dernière fois, mais après je ne le verrai plus jamais. Non, je ne le revois pas, c'est trop dangereux. D'un autre côté, je veux le voir une dernière fois comme pour imprimer dans ma mémoire ses beaux yeux verts, son nez droit, son menton fort où se niche une fossette, ses dents blanches, son sourire moqueur et si sexy. Ce sera la dernière fois.

L'idée de ne plus le revoir après cette dernière fois le chavire et le vide de son essence.

Non, ça ne peut pas être de l'amour, j'aime ma femme, mais avec Larry, c'est la fusion complète de mon âme avec une autre âme. C'est mon corps qui a besoin de son corps pour en former un seul. Je suis un avec lui, mais un complet, pas complémentaire comme avec Ariane, complet.

Mais alors, si ce n'est pas de l'amour, c'est quoi ? Du cul ? Non, c'est trop limité, trop restrictif, trop petit, trop vulgaire pour ce que je ressens pour lui. C'est quoi alors ? De la folie furieuse. Je suis devant un précipice et je vais plonger moi-même. Non ! Ce que je prends pour de l'amour, c'est juste un fantasme qui a pris forme. J'aurais dû avoir la force de le garder pour moi. Et puis, je ne suis pas homo. Je ne suis jamais passé du rêve à la réalité ! Alors je suis quoi ? J'avais jamais essayé l'amour avec un homme et j'étais heureux, et là, je suis le plus malheureux du monde. Est-ce que je suis malheureux ? Est-ce que ce qui m'arrive est une bonne chose ? Je ne veux pas quitter ma femme et mes enfants pour un homme, mais je le veux à moi de toutes les forces de mon être et je veux garder ma place dans la société comme hétéro. Je veux être du côté du plus fort et non pas membre d'une minorité.

Je l'appelle.

Il se réfugie dans l'arrière-boutique et compose le numéro. Son cœur bat à tout rompre. C'est le répondeur.

Il raccroche.

Il veut pas me parler. Je suis rien pour lui, rien qu'un bon coup, un trophée à déposer à côté de ses autres trophées de baise.

Simon ne sait pas que, si l'interdit est de l'huile sur le feu de la passion, les obstacles en sont le petit bois. Les sentiments qu'il éprouve le sortent de sa torpeur, il avait besoin de sa crise de la quarantaine. Il se sent vivre.

Il est dix-huit heures. Les commis sont partis. Il jette un regard circulaire dans son magasin. Oui, il est fou de risquer de tout perdre, même sa santé, pour un coup de sang.

Il éteint les lumières, sort ses clés pour fermer lorsque Larry entre.

Dans le magasin où ne filtre que la lumière du jour à travers les vitrines, Simon repousse la bouche et les bras de Larry.

— Faut qu'on se parle.

— Pourquoi ? Nos corps se parlent.

Larry tente à nouveau de l'enlacer.

— Non, Larry. Non !

— Tes « non » m'excitent.

Simon lui dit d'un ton sévère :

— Arrête !

Larry s'immobilise.

— Je prendrais un café...

— Écoute-moi, crisse !

— Je sais tout ce que tu vas me dire. Que c'est pas raisonnable, que tout ce que ta tête te refuse, ton corps le réclame.

Larry le regarde dans les yeux jusqu'à ce que Simon les baisse. Il ajoute :

— Mets-toi ça dans la tête : entre nous deux, il est pas question de raison, mais de cul.

— J'ai besoin de comprendre...

— Quoi ? C'est clair, me semble.

— Pas pour moi.

— Qu'est-ce qu'ils ont, les hétéros, à vouloir tout comprendre ? Le sexe, ça s'explique pas, ça se consomme.

— Avoue que t'es homo, Larry.

— Je suis bi, je te l'ai dit.

— Je peux pas croire ça.

— Je veux un café.

— La machine est nettoyée, prête pour demain matin.

Larry, contrarié, pose une fesse sur un coin de table remplie de lunettes de ski en solde.

— Je suis ni aux hommes ni aux femmes, je suis à moi, à mon plaisir. Des fois, je le trouve avec une femme, des fois avec un homme, rarement en même temps. Je peux être des années avec un homme. Je suis des années avec une femme.

— Tu as une femme en ce moment.

— Disons que tu es l'exception qui confirme la règle.

Larry se lève pour partir, car il déteste les complications.

— J'ai pas fini. Donc t'es à toi… surtout.

— Ça décrit bien ce que je suis. C'est bon, ça.

— Tu vis entre deux chaises.

— Je vis pas entre deux chaises, des fois je suis sur une chaise, des fois sur une autre.

— Mais des fois t'as une petite préférence pour une chaise.

— Je peux pas dire ça, je suis bi-chaise !

— Tu peux pas ne pas avoir de préférence.

— T'as un garçon et une fille, lequel préfères-tu ?

Simon a un cri du cœur :

— Je les aime pareil !

— J'ai pas de préférence, homme ou femme, c'est pareil.

— Dis-le donc que t'es gai, crisse. As-tu honte ? T'es un homo qui veut pas s'assumer, dis-le donc.

— Pourquoi tu veux me classer, me mettre une étiquette à tout prix ? Un homo, c'est celui qui aime les hommes exclusivement. Moi, c'est le désir qui choisit pour moi. Ça fatigue les hétéros. Eux ont accès qu'à la moitié de l'humanité, tandis que nous…

— Larry, tu comprends pas que j'ai peur…

— De quoi ?

— J'ai peur d'être comme toi.

— Merci !

— Je le sais pas ce qui m'a pris, je suis tombé dans le piège…

— Ah non, sors-moi pas ça. C'est toi qui m'as frenché. Moi, je force personne.

— Tu m'as tendu un piège avec la tente, avoue.

— Tu pouvais dire non. Je l'aurais respecté. T'as pas dit non, t'as bandé. Si t'avais pas eu de désir pour moi, t'aurais pas bandé, je t'aurais laissé tranquille.

Ils se regardent, vaincus. Ils laissent tous les deux en même temps monter le désir en eux et, sans ajouter un seul mot, se rendent dans l'arrière-boutique, là où se trouvent le café et… un vieux canapé.

Des heures plus tard, l'auto de Simon s'arrête devant chez lui. Simon en descend en évitant de faire du bruit. La maison est dans le noir total. Aucune lumière. Il est soulagé.

En marchant vers l'entrée, il sent son cœur faire un bond lorsqu'il voit une ombre bouger dans le chemin. Croyant que Larry l'a suivi, se précipite sur l'ombre et l'enlace.

— Qu'est-ce que tu fais là, p'pa ? s'étonne-t-il en découvrant Clément.

— Chut, tout le monde dort.

— Tu me surveilles ?

— D'où viens-tu ?

Clément a repris son rôle de père. Un enfant le reste pour toujours, peu importe son âge. Il serre les bras de son fils un peu trop fort.

— P'pa, lâche-moi.

Il desserre sa prise.

— D'où viens-tu, Simon ? C'est le milieu de la nuit.

— Du magasin.

— Tu fais quoi, au magasin ?

— Je travaille.

— Je vois peut-être pas clair, mais je sens qu'il se passe quelque chose.

— P'pa, j'ai quarante ans et je peux rentrer tard un soir. Ça t'est arrivé, toi, de revenir si tard que tu rentrais pas pantoute…

— C'est pas en m'accusant que ça te justifie. Je dis juste : fais pas comme moi.

— J'ai pas de maîtresse.

— Quand on devient aveugle, on est moins distrait par ce qui se passe à l'extérieur, on commence à percevoir des choses.

— Quand on pense trop, on s'imagine des choses.

— On comprend mieux ce qu'on voyait pas avant.

— P'pa, je me lève de bonne heure demain.

— Ta mère qui dit qu'elle m'a pardonné mes infidélités, eh bien, ça fait vingt ans qu'elle me les fait payer. Pourquoi elle est jamais là, tu penses ? Elle me remet la monnaie de ma pièce.

— P'pa, je te reconduis chez toi.

Il prend son père par le bras, l'embrasse sur la joue, ce qu'il fait rarement, attend qu'il rentre à son appartement et revient chez lui. Cette histoire de maîtresse, il l'a entendue maintes fois, sans jamais l'écouter vraiment. Il ne veut pas savoir que son père a eu une vie sexuelle, comme si le sexe était réservé aux enfants en exclusivité.

Il monte à l'étage, passe devant les chambres des enfants qui dorment. Dans la salle de bain, il se regarde dans le miroir et il sent sa chemise.

L'eau de toilette de Larry!

Il l'enlève, la jette dans le panier à linge sale, la reprend, fait partir la douche. Ariane entre.

— Tu dors pas, toi?

— Je dormais, mais le moteur de la voiture m'a réveillée. Sais-tu l'heure qu'il est?

— Parle-moi-z'en pas, je voulais remettre la politesse à Larry, je l'ai emmené manger puis après on est allés prendre un verre. Jase jase, parle parle, j'ai pas vu l'heure.

— D'habitude, tu m'appelles pour me prévenir que tu viens pas souper.

— Pourquoi tu m'as pas appelé, toi?

— Puis passer pour une femme qui a pas confiance en son mari? J'ai raison d'avoir confiance en toi?

Simon est coincé. Il déteste mentir à sa femme, elle possède un don pour démasquer les menteurs.

— Appelle-le! Veux-tu son numéro?

Il sait très bien qu'elle ne ferait jamais ce geste.

— Je disais ça parce que tu tiens peut-être de ton père!

— Je suis pas mon père, je suis moi. Arrête de me comparer à lui.

Il est tenté de lui avouer: « J'ai pas de maîtresse, mais un amant. » Il se tait. Il peut constater tous les jours les dommages que ce genre de confidences a causé à ses parents. Les femmes trompées pardonnent, mais n'oublient jamais.

Ariane, apaisée, retourne se coucher et laisse son mari effacer sous l'eau savonneuse les traces odorantes de ses ébats avec Larry.

Quand Simon se glisse dans le lit, Ariane ne dort pas. Il l'enlace et lui chuchote à l'oreille :

— Je m'excuse.

— C'est moi puis ma peur que tu tiennes de ton père et qu'on finisse comme ta mère et lui : deux étrangers sous le même toit.

— Je suis pas mon père !

— Je sais. On dort ?

— On dort.

Ils se souhaitent bonne nuit, s'embrassent du bout des lèvres, se tournent pour dormir, lui épuisé, elle rassurée.

Le lendemain matin, c'est le branle-bas du déjeuner et des départs pour la dernière journée d'école. Les parents sont comme des automates. Chacun accomplit sa tâche avec méthode et précipitation. Les enfants quittent la maison. Il reste quinze minutes de répit avant que chacun parte de son côté, elle à l'hôpital où elle travaille, lui au magasin. Ils se servent un autre café qu'ils apportent dans la salle de bain. Elle se fait une queue de cheval, applique une crème, un peu de mascara sur ses cils et du baume sur ses lèvres. Elle peigne ses sourcils, qu'elle a très fournis. Simon se fait la barbe, met son déodorant, s'arrache des poils dans les oreilles et dépose quelques gouttes de son eau de parfum sur son torse.

— Tu sors ce soir ?

— Non. Pourquoi tu dis ça ?

— D'habitude, tu te mets du parfum que pour sortir.

— Ah !...

Il doit trouver vite une excuse.

— Je me suis trahi. Je voulais te faire une surprise, puis t'emmener souper au restaurant pour fêter… nous deux, nos quinze ans ensemble.

— Notre anniversaire de mariage était le mois passé, et on l'a déjà souligné…

— Un restaurant cher… le meilleur si tu veux. À Montréal.

— Mon petit resto à côté me suffit.

— C'est ça, avec toi, tout est petit. Notre petit couple, notre petite maison, notre petite auto. Nos petits ! On fait une p'tite vie.

Elle n'en revient pas.

— Qu'est-ce qui te prend, mon amour ?

— Rien… ce matin, tout a l'air petit autour de moi. On est un beau petit couple, on a une belle petite famille.

— On fait une belle vie, je trouve. Qu'est-ce qu'on peut demander de plus ? T'es pas heureux, toi ? Moi, je suis comblée. Écoute, à l'hôpital, j'évite de parler de notre bonheur parce que personne me croit. Ils croient pas ça eux autres qu'on se chicane rarement.

— Je suis le plus heureux des hommes et je vais l'être encore plus si tu acceptes mon invitation ce soir.

Elle lui sourit doucement. Passe dans ce sourire tout l'amour qu'elle ressent pour son mari, l'homme de sa vie.

— Si ça te fait plaisir.

— Je veux te faire plaisir.

Il est troublé par sa facilité à jouer la comédie. Il ment comme il respire.

Dans le miroir, il regarde sa femme si aimante, si confiante, et un sentiment de honte monte en lui.

Ariane ne mérite pas ça.

Ses yeux se mouillent. Pour cacher son émoi, il la prend dans ses bras et lui murmure à l'oreille :

— Je t'aime.

Elle est surprise. Les matins de semaine ne sont pas propices aux déclarations d'amour. Pour elle, leur amour est évident, coulé dans le béton.

— Pourquoi tu me dis ça ce matin ?

— Je le sais pas. Pour rien. Après tout ce temps ensemble, ça se pourrait que tu m'aimes moins, que tu regardes ailleurs.

Je vais trop loin.

— Non, je t'aime encore plus.

Elle le lui a dit en le regardant dans les yeux pour qu'il comprenne bien une fois pour toutes que, pour elle, l'amour c'est à la vie, à la mort. Elle ajoute :

— Même si tu m'aimes plus, moi je vais t'aimer pareil.

Encore une fois, il se jure de ne plus jamais revoir Larry.

Ariane est intriguée par l'attitude de son mari, mais n'a pas le temps d'investiguer plus longtemps. Elle lui planque un baiser sur la bouche et se sauve, car elle a horreur d'être en retard. Il entend ses talons claquer dans l'escalier, la porte d'entrée s'ouvrir et se refermer, puis une minute plus tard le roulement de sa petite auto sur le gravier.

Resté seul devant la vérité crue que lui renvoie le miroir, Simon se traite de tous les noms : *Salaud, écœurant, hypocrite, menteur ! Au moins je sais qui je suis !*

***

Larry habite un cinq pièces et demie à Griffintown, sur le bord du canal Lachine. Il compte déménager, quand l'enfant aura l'âge d'aller à l'école, dans un quartier plus familial, dans une maison avec cour arrière et sous-sol. Sa conjointe, Nathalie, une petite brune vibrante, énergique et curieuse, qui fait une maîtrise en sexologie après avoir terminé un bac en histoire, adore apprendre. Le soir, pour se reposer, elle étudie le mandarin en vue d'un voyage futur en Chine. Elle a vingt-quatre ans. C'est la reine des « Pourquoi ? ». Elle s'est éprise de Larry par curiosité intellectuelle surtout. Elle se dit *queer*, terme qui irrite son copain qui, lui, de dix ans son aîné, se vante d'être bisexuel.

— Écoute ça, Lawrence.

Elle s'adresse toujours à son amoureux par son prénom complet. Celui-ci, évaché dans son fauteuil, regarde un match de baseball. Elle a une tablette dans les mains.

— T'as raison, chéri, *queer*, en français, ça se traduit par : étrange, bizarre, peu commun, mais de nos jours c'est... Je te le lis... « Une théorie qui différencie mâle et femelle du masculin et féminin dans une société qui identifie l'hétérosexualité comme normale, naturelle et innée. Le genre masculin ou féminin est séparé du sexe... »

— Je suis un gars qui aime une personne, le genre, le sexe fait pas de différence.

Il se lève, agacé, va se prendre une seconde bière dans la cuisine attenante au salon. Il ne se pose pas souvent de questions. Il revient au salon.

— C'est fatigant, cette manie que t'as de poser des étiquettes à tout le monde. *Queer*, c'est une étiquette. Je suis bi, *queer*, hétéro, homo... je m'en sacre. Je suis né de même, je suis de même, je vais mourir de même, que je le veuille ou non.

Il s'assoit et continue :

— La veux-tu, ma définition de ce que je suis? Je suis quelqu'un qui veut pas être catalogué masculin, féminin, gai, hétéro, lesbienne ou *queer*. Les hommes sont pas séparés en deux, les hétéros et les homos. Il y a tous ceux qui se promènent de l'un à l'autre selon les circonstances. Tu le sais, tu as étudié Kinsey.

— Pourquoi tu montes le ton?

— Je monte pas le ton, c'est toi qui m'énerves avec ta manie de classer le monde…

Nathalie retourne à sa tablette. Elle s'explique:

— C'est la venue du bébé. Je me pose des questions que je me posais pas avant. Comme…

— T'es la mère. C'est entendu dans notre contrat que tu restes la mère quoi qu'il arrive.

— Un enfant a besoin d'un père aussi.

— Je vais être là, un moment, en tout cas.

— Je veux rester avec toi et le petit pour toujours.

— C'est longtemps, toujours.

— C'est pas pour moi, c'est pour le bébé. Tout se joue avant six ans. On pourrait au moins être ensemble six ans.

— C'est pas ça qui a été entendu quand on a acheté le condo. On était libres d'aimer, chacun de notre côté, qui on veut, du moment qu'on se le disait. On était libres de partir quand on voulait.

— Le bébé était pas conçu!

— Du moment qu'on s'occupe du bébé, ensemble ou à tour de rôle. Relis le contrat. On a fait un contrat.

— Je te parle pas de contrat, mais d'amour!

— C'est ce qui me tanne avec les filles, on vous parle sérieusement, il faut que vous parliez d'amour. Les gars, entre nous, c'est tellement simple…

— T'es pas avec un gars, t'es avec moi… pour le moment. Je te demande juste six ans, pour le petit. Sur Internet…

— Internet dit ce que tu veux entendre. T'as juste à chercher un peu, tu trouves un article qui pense comme toi.

— Qu'est-ce que t'as ?

— Ça aussi, c'est fatigant, les filles ont pas assez de savoir où on va, elles veulent savoir ce qu'on a dans la tête. J'ai rien. Je pense à rien, je regarde le baseball. Je serais avec un gars, on regarderait le baseball sans se dire un mot, puis ce serait ben correct. Tout se complique quand t'es avec une fille.

— Vas-y avec un gars si c'est tellement mieux !

Larry monte le son de la télévision pour bien marquer la fin de la conversation.

Nathalie refoule ses larmes.

— Tu vas pas pleurer en plus !

Elle se lève de sa chaise, s'empare de la zappette et ferme la télé.

— Heille !

Elle se poste devant lui, la main gauche sur le bas de son dos qui tire, la droite soutenant son ventre.

— Notre union est censée être basée sur l'honnêteté…

— Et sur la liberté. On est libres chacun de notre côté d'avoir des aventures sexuelles, du moment qu'on se le dit. Eh bien, je te le dis.

— Quoi ?

Elle a peur, peur de cette fameuse vérité qui n'est pas toujours bonne à entendre.

— J'ai rencontré une personne.

— Une femme ?

Il y a de l'espoir dans sa voix.

— Un homme, et nous sommes amants.

Nathalie s'assoit, elle est dévastée. Bien sûr, il y a bien ce contrat entre eux, mais là...

Larry est triste de blesser la femme qu'il aime, mais c'est au nom d'un principe auquel il croit, l'honnêteté, qu'il lui fait du mal.

— Ça t'enlève rien, Nat.

— Ça fait pas deux ans, nous deux, je suis devenue enceinte parce que t'étais d'accord pour être le père de mon enfant.

— Que je baise avec un gars t'enlève rien.

— Oui, ça m'enlève l'amour. Tu le prends et tu le donnes à un autre.

— Me semblait que t'avais compris ma bisexualité. On peut aimer deux personnes à la fois, surtout si elle est pas du même genre. Disons qu'avec toi je suis dans l'affection, et avec lui... dans le sexe.

— Je veux que tu m'aimes et que tu fasses du sexe avec moi, juste avec moi.

Elle est prête à se mettre à genoux, à le supplier.

— T'es bi toi-même, je pensais que tu comprendrais. Vous êtes toutes pareilles, les filles, il vous faut le beurre et l'argent du beurre.

Il continue plus doucement, comme s'il parlait à un enfant de trois ans :

— Avec toi, l'amour, c'est spécial. Avec lui, c'est comme si je me masturbais. T'es pas jalouse quand je me masturbe ? Ça t'enlève rien ? Au contraire, ça t'excite ! Puis tu le savais que j'étais bi avant de venir vivre avec moi.

Nathalie a beau étudier la sexologie, elle est restée naïve.

— Je pensais que si je t'aimais assez fort tu changerais.

— C'est ça, les femmes, elles aiment un homme pour ce qu'il est, et dès qu'elles l'ont, elles s'acharnent à vouloir le changer.

Nathalie ne l'écoute pas :

— Maintenant que je vais être mère, je me demande si je dois donner en exemple à mon enfant la bisexualité de ses parents.

— Ça avait été entendu qu'on était libres de coucher chacun de notre côté ! On a un contrat entre nous.

— Je pensais pas que je t'aimerais, que je deviendrais enceinte. Je pensais sincèrement que la fidélité c'était pour les caves, pour ceux qui pognent pas. Je me voyais, moi, coucher avec un autre que toi, mais je te voyais pas, toi, me tromper. Je me voyais pas le ventre rempli d'un bébé. Je veux donner à notre enfant un couple stable. Depuis qu'il bouge en moi, j'en ai pris conscience.

Larry est exaspéré. Il déteste les doléances des conjointes. Il conclut :

— J'vais pas partir vivre avec mon amant, il est marié.

Il rallume le téléviseur.

— Ça change rien, si tu l'as dans le cœur et dans les sens, c'est grave. T'aurais jamais dû me le dire. Ce qu'on sait pas…

— On a pas la même morale, toi et moi. Coucher avec qui me tente, c'est pas te tromper puisque je te suis fidèle de cœur. Ce serait te tromper que de te cacher la vérité. Je veux pas te mentir sur mes allées et venues. Je devrais être capable de te le présenter, tu devrais être capable de l'aimer.

— Il est marié, tu dis ?

— Marié, deux enfants. Un hétéro pure laine ! C'est un *kick* de plus. Je l'initie, lui fais découvrir des plaisirs différents…

— Pas de détails !

— On devait tout se dire, rien se cacher. Je respecte notre contrat.

— Le maudit contrat, il fallait que je le signe ou je te perdais.

Larry est ennuyé par ces disputes avec Nathalie. Il vide sa bière d'un trait et va en chercher une autre.

Nathalie flatte son ventre comme pour chercher sa force auprès du petit être qui pousse près de son cœur. Avant de quitter le salon, elle lance à Larry :

— Je vais le respecter, le contrat, mais j'ai-tu le droit d'avoir de la peine ?

Larry la regarde, découragé.

Si j'étais homo ou hétéro, ce serait tellement plus simple.

Larry a cru, à l'adolescence, qu'il était gai puisqu'il était attiré par les garçons, puis il est tombé amoureux d'une fille de son école et il s'est cru hétéro. Ensuite, il est passé d'hétéro à bi sans problème. Il en était heureux, il avait accès à tous les plaisirs de la chair. Il s'en vantait. Ce n'est qu'à l'âge adulte qu'il s'est rendu compte que la bisexualité n'avait pas que des avantages.

L'orientation sexuelle la plus détestée de toutes ! Les hétéros nous prennent pour des débauchés, les homos, pour des gais qui se cachent la vérité. Ils nous méprisent.

Il lui arrive, comme c'est le cas aujourd'hui, de détester être bi, mais il n'y peut rien. C'est ce qu'il est de corps et d'esprit. Il a essayé de refouler ses instincts. Pas capable. C'est un vrai de vrai.

Il achève d'une lampée sa dernière bière. Il se plante devant Nathalie, lève son verre vide :

— Je te jure de pas vous abandonner, toi et l'enfant, jusqu'à ce qu'il ait six ans. C'est correct, ça ? T'es contente, là ?

Nathalie le fusille du regard, le repousse avec son gros ventre, se dirige vers la chambre et claque la porte.

Larry regarde le sofa et sait qu'il va passer la nuit dessus.

Pourquoi moi ? Je n'ai pas demandé ça en naissant. Je ne voulais pas ça. Je ne veux pas ça, mais je suis ce que je suis. Comme tout le monde, j'aurais voulu une vie stable, peut-être me marier à l'église et avoir des enfants. Oui, me caser, mais je passe d'une case à l'autre sans me fixer. Tout le monde a peur du changement et je suis le changement en personne. À toujours penser, quand je suis sur mon gazon, que celui du voisin est plus vert. Toujours en train de penser, quand je suis avec un homme, que je serais peut-être mieux avec une femme et vice versa.

Insatisfait de nature, instable, doublement infidèle, et qui dit infidèle dit menteur. Je suis le mensonge incarné.

Est-ce que je suis heureux ? Je me déteste la plupart du temps, mais mon identité sexuelle, c'est une maudite bonne excuse pour ne pas m'engager. Est-ce que je vais passer de l'un à l'autre jusqu'à la fin de mes jours ? Est-ce qu'on arrête d'être bi en vieillissant ? Je comprends pourquoi, quand les adolescents découvrent leur bisexualité, plusieurs se suicident.

Larry se souvient qu'il avait du mal à se définir et à s'assumer à une époque. Un soir, après avoir visité un club d'échangistes, il avait voulu mourir. Il avait découvert que, plus il a de choix, plus il est malheureux, plus il est libre de choisir, plus il est malheureux de ne pouvoir se décider à choisir. Né pour être malheureux.

Je n'ai pas choisi mon orientation bi, mais j'ai choisi de la vivre et de l'assumer. Que faire d'autre ? Faire semblant ? Nier, mentir, n'être jamais tout à fait moi-même ? Jouer la comédie ? Me trouver un autre nom pour me définir ? Je suis un hétéro ou un homo flexible ? Non, c'est moi qui identifie moi. Je ne vais pas perdre mon temps à me demander qui je suis. Je suis, c'est tout. Je suis ce que je suis. Point final.

Le lundi suivant, au magasin, Benoit est distrait et intrigué. Il se meurt de savoir ce qui se trame autour de son patron.

Ou bien ça va mal avec sa femme, ou bien il la trompe. Non, pas lui ! Simon, c'est un saint, même si je crois plus aux saints, lui je le ferais canoniser si j'étais pape. À moins que ce soit le commerce qui va mal ? Non, c'est pas ça non plus. Il a un de ces petits sourires. Des fois, je me demande s'il pense à ce que je pense quand j'ai ce sourire-là. À moins que son père lui ait enlevé le magasin, l'ait rayé de son testament. Pourquoi ferait-il ça ? Simon, c'est un travaillant, le magasin se porte mieux depuis qu'il en est l'unique patron. Maudit, j'haïs ça, ne pas savoir ! J'ai rien qu'à m'arranger pour savoir. Au lieu d'être vendeur d'articles de sport, j'endosse mon imperméable beige froissé à la Columbo et j'ouvre mon enquête.

Justement, Simon qui a garé son auto dans la ruelle apparaît dans la porte de l'arrière-boutique.

— Salut, patron !

— Salut.

— Comment ça va ?

— Bien.

— Pas mieux que bien ?

— Super.

— Super super ou super ordinaire ?

Il rit de sa farce.

Simon l'ignore, trop préoccupé par sa décision de rompre avec Larry.

— Benoit, peux-tu me laisser seul pendant que je me fais un café ? Je veux pas être dérangé.

— Prends tout le temps que tu veux.

— Si un client insiste pour se faire servir par moi, dis-lui que je suis pas arrivé et que tu connais pas mon horaire. J'ai un téléphone important à faire.

— Je disais ça à ma mère quand je voulais m'enfermer dans ma chambre pour…

Benoit fait un geste que tous les hommes connaissent.

— Mais tu penses qu'à ça, ma parole !

— Les hommes, on pense qu'à ça, non ?

— Tu généralises. En tout cas, pas moi. J'ai d'autres chats à fouetter.

— Comme parler au notaire ?

— Non.

— À un avocat ?

— Non.

Simon le regarde de ses yeux perçants et Benoit cesse son enquête. Il s'excuse :

— De quoi je me mêle ?

— Voilà ! T'as tout compris.

Benoit le quitte, et Simon sort son téléphone portable.

Je peux pas casser au téléphone quand même, je vais lui parler en personne. Pas ici. Dans un restaurant, en terrain neutre.

— Allô, Larry.

— Je pensais justement à toi…

— Faut que je te parle à midi.

— À midi, je peux pas, Nathalie est sur le point d'accoucher. Elle a perdu ses eaux. Je pars la rejoindre à l'hôpital.

— J'ai besoin de te parler. C'est sérieux. Tout de suite !

La voix de Simon est si dramatique que Larry n'hésite pas :

— J'arrive.

Il raccroche sans que Simon ait eu le temps de s'opposer à sa venue au magasin. Il se fait un cappuccino même s'il est déjà saturé de caféine. Et parce qu'il sent son commis à l'affût de commérages, il lui en fait un aussi pour l'amadouer. En buvant son café dans le magasin, il téléphone à sa femme devant Benoit pour brouiller les pistes. C'est le répondeur. Il prend sa belle voix radiophonique :

— C'est ton Simon, mon amour. J'ai oublié de te dire que je t'aime. À ce soir. Je vais arriver de bonne heure. Bye !

Elle saura jamais que je sacrifie un amour comme je n'en ai jamais connu à notre couple.

Benoit, devant le rideau de cannes à pêche, réfléchit en sirotant son café.

Donc si ça va bien avec sa femme, il s'agit pas d'une affaire de cœur. Alors ça doit être une affaire d'argent. La déduction, mon cher Watson ! Je me trompe de série télé.

Il s'empresse de servir un jeune couple qui vient d'entrer. Pendant ce temps, Simon se perd dans ses pensées.

J'ai souffert toute ma jeunesse des infidélités de mon père. Je me suis juré de résister à la tentation, ce que mon père n'a jamais pu faire. Je ne veux pas finir comme mes parents, qui restent ensemble, mais qui s'évitent comme s'ils étaient des pestiférés. Je veux pouvoir regarder ma femme dans les yeux et lui dire la vérité, toujours.

Il entend un petit bruit venant de la ruelle comme si on cognait à la porte des fournisseurs.

C'est lui.

Son cœur bat la chamade, sa salive se tarit. Il se tient la poitrine à deux mains, qui tremblent. Il se précipite puis reprend un pas normal.

Il ouvre la porte arrière et il recule comme s'il voyait un monstre.

Non, touche-moi pas, je veux pas que tu m'embrasses parce que je sais où ça va nous mener et je veux pas. Je veux pas !

— O.K., O.K. Veux-tu me dire ce qui est si urgent ? J'accouche, moi là !

— Il se passe que j'ai réfléchi et que...

Larry l'interrompt :

— Je veux pas briser ton couple. Je suis pas un écœurant. Si tu veux plus me revoir, c'est ben correct, je comprends. Y a pas de quoi faire un drame.

— Pour toi peut-être, mais pour moi, c'est plus qu'un drame, c'est ma vie qui s'écroule.

— Bien non...

— Bien oui ! Toi, ça fait peut-être ton affaire de passer de l'un à l'autre, pas moi. J'ai un avenir avec ma femme, mes enfants, mon magasin, ma banlieue. Je sacrifierais ça pour quoi ? Pour qui ? Toi ?

— Être toi-même ?

À court d'arguments, Simon se tasse, recule.

— Je veux pas discuter avec toi. C'est fini, nous deux. La vie de ma famille est en jeu.

— Et la tienne, ta vie ?

— Je veux pas penser à moi, mais juste à eux. Mes désirs passent en second.

— Bon, très bien, c'est ton choix.

Larry lui tend la main et, très machinalement, déclare :

— Ça m'a fait plaisir de te connaître. Et pour te prouver qu'on peut être bi et gentleman, j'irai pas offrir mes tentes à ton concurrent. Salut !

Sans se retourner, il quitte les lieux.

Simon donne un coup de pied à la petite table où sont posées les tasses vides et la renverse. Lui, si peu violent, ne se reconnaît plus. En fait, il n'est plus lui-même.

Benoit, attiré par le bruit, frappe à la porte et entre.

— Patron ?

— C'est rien, je me suis accroché dans la table. C'est rien.

— Comment t'as fait ton compte ?

— Je le sais-tu, moi ?

— J'ai entendu parler dans l'arrière-boutique.

Simon lui invente une histoire d'appel téléphonique avec un employé des douanes qui l'aurait mis hors de lui. Il se serait levé en faisant basculer la table. Benoit avale ça comme si c'était la pure vérité et sort rejoindre ses clients, qui hésitent encore entre un canot et un kayak.

Resté seul, Simon s'assoit.

Je mens comme je respire. J'aurais jamais cru que c'était si facile. Ça sort comme si j'avais fait ça toute ma vie. Mais c'est terminé, je ne mentirai plus. Je vais me confesser à ma femme, elle va me pardonner et je vais redevenir ce que je suis, un hétéro qui a eu une faiblesse. Une ! Que celui qui n'a jamais eu « une » faiblesse me jette la première pierre. Je pourrais me taire, garder pour moi ma faute de parcours. Non, je vais me sentir coupable. Me débarrasser de ma culpabilité, c'est la meilleure chose à faire. Je pourrai pas vivre heureux avec des mensonges sur la conscience. Faut que je parle à ma femme. Au restaurant, pour éviter les éclats. Tout de suite. Plus vite je serai débarrassé de ma culpabilité, mieux ce sera. Ce soir, je me délivre de mon secret et Ariane sera contente que je lui dise la vérité. Tout va redevenir comme avant mon… accident de parcours… mon aventure… mon expérience avec un homme, ma faiblesse… une seule.

Il appelle sa femme :

— Ariane, excuse-moi de te déranger, mais qu'est-ce que tu dirais qu'on soupe en ville ce soir ? Je te prends à l'hôpital. … Comment ça, non ? … Où ? … Avec qui ? … Tard ? … Ben, O.K. Si je dors, réveille-moi en entrant… S'il reste du pâté chinois, je vais manger ça avec les enfants. Bye. Bonne soirée.

Il est déçu. Il le lui a montré dans le ton de sa voix. Il raccroche.

Qu'elle fasse un peu de culpabilité elle aussi. Avec Ariane, jamais moyen de prévoir quoi que ce soit. Mais moi, moi je souffre, moi ; ma culpabilité peut pas attendre. Faut que je m'enlève ce poids de la conscience. Au moins, dans le temps de nos grands-parents, quand on fautait, on allait à la confesse, le péché était lavé avec une pénitence, puis on pouvait recommencer sans faire de culpabilité. Faut que je parle à quelqu'un. Maman, elle a des amis gais, mais bis ? Papa, il va me comprendre, il a cédé à ses désirs avec d'autres femmes, souvent. Qui est-ce qui est le plus coupable ? Papa ou moi ?

Faut que je parle, j'étouffe.

Il a envie de crier au secours, tant il se sent en danger !

***

Simon soupe avec ses enfants devant la télévision. Comme il n'a pas eu le courage de réchauffer les restes de pâté chinois, il a commandé de la pizza et les enfants se régalent, à même la boîte.

Et si ma femme me mentait? Et si, au lieu d'aller souper avec des amies, elle avait un amant ou bien une amante? Ma femme serait bi! C'est bizarre, ça ne me surprendrait pas. Deux femmes qui se touchent, se minouchent, se caressent, c'est pas la même chose que deux hommes qui baisent. Deux femmes ensemble, c'est doux, c'est tendre; c'est le fantasme préféré des hommes, il paraît. Le mien, c'est un trip à trois, mais une femme, deux hommes. Si je ne suis pas un vrai mâle, je suis quoi alors? Non! Je ne suis pas gai ni bi. Je suis quoi, crisse? Le fantasme, c'est du rêve, ça compte pas si on le met pas en pratique. Je suis un vrai mâle à cent pour cent. La preuve, j'aime et je désire ma femme.

Il se le répète comme un mantra, yeux fermés, mains ouvertes sur les cuisses, assis presque en position yogique sur le tapis du salon.

Victor, son fiston, dépose dans sa main un Magnum au chocolat. Le froid le sort brusquement de ses pensées.

— Que-c'est ça?

— Tu dormais.

— Qui vous a donné la permission de prendre de la crème glacée?

— On te l'a demandé, t'as pas répondu.

— Ta sœur est où?

— Elle est partie se laver les dents, ce que je vais faire moi aussi.

— Je m'excuse, Vic, de ma saute d'humeur. J'ai des problèmes au magasin. Je dormais pas, je méditais sur les moyens de les régler. Mon Victor, je veux te laisser un magasin prospère. Je veux que tu poursuives ce que ton arrière-grand-père a commencé… Je veux…

— Papa, ça m'intéresse pas. Ça fait cent fois que je te dis que je vais être informaticien.

Je suis rendu que je mens aussi à mon fils. Je me suis embarqué dans une pyramide de menteries. Faut que ça cesse.

— Victor, je vais aller marcher. Prends soin de ta sœur.

— Papa, j'ai mis la boîte de pizza vide dans la récupération, les verres sales dans le lave-vaisselle, j'ai dit à Hortense de se mettre en pyjama. C'est moi qui ai fermé la télévision et qui lui ai dit à quelle heure se coucher. Fais-moi confiance. J'ai pas besoin de toi. Prends le temps que tu voudras.

Victor ne veut pas blesser son père, il veut juste lui montrer qu'il a vieilli et qu'il est responsable, mais Simon, devant l'indépendance de son fils, se sent dépossédé, comme si on lui enlevait sa paternité. Or, une des raisons qu'il évoque dans sa tête pour ne pas céder à son attirance, c'est justement qu'il est père et qu'il se doit de donner l'exemple à ses enfants.

— Je te fais confiance, mon homme.

Victor, qui sent bien que son père est souffrant, lui dit :

— S'il y a quelque chose qui va pas, tu peux me le dire. Si je peux t'aider…

Simon aurait le goût de le prendre dans ses bras, de le serrer fort comme lorsqu'il avait quatre ans, mais cet ado aux bras trop longs et aux quatre poils au-dessus de la lèvre supérieure le refroidit, alors il lui donne une *bine* sur le bras. Son petit gars est devenu un homme. Il n'aura plus besoin de lui, bientôt.

— Merci, mon fils. Pour le moment, tu peux pas m'aider, mais si ça arrive, j'hésiterai pas à t'en parler !

Un autre mensonge, jamais je lui parlerai de... jamais, j'aurais trop honte, trop peur d'être jugé. Il y a pas que les parents qui ont des préjugés contre les... différences, les enfants aussi, pense-t-il.

Simon se rend chez ses parents avec la ferme intention de se confier à sa mère. Il frappe et entre dans leur maisonnette comme s'il était chez lui. Tout est noir à l'intérieur. À tâtons, il réussit à allumer la lampe du salon. Son père est assis dans le grand fauteuil.

— Pourquoi t'ouvres la lumière ? Je vis dans le noir de toute façon.

— Pas moi, papa. Maman est à son club de bridge ?

— Club de lecture.

J'aurais mieux aimé parler à maman, mais papa va faire. J'ai besoin d'une oreille.

— P'pa ?

— Assieds-toi, mon homme. Je te sens nerveux. Y a quelque chose qui va pas ?

— Justement... Je sais pas comment te dire ça.

— Dis-moi-le pas ! J'ai assez de mes troubles à moi : ta mère qui est jamais là, puis je la comprends ; si j'avais un handicapé à la maison, moi aussi je serais jamais là.

— Moi, p'pa, moi là... là...

— Ta mère puis moi, mon garçon, ça va plus du tout, du tout. Je pensais divorcer, mais arrangé comme je suis, y a personne qui va prendre soin de moi. C'est pas moi qui vas m'imposer chez vous, même si mon chez-nous, dans le fond, c'est chez vous, mais c'est correct, la maison intergénérationnelle, c'est moderne en masse...

— C'est toi qui as voulu ça... la maison intergénérationnelle...

— Je suis content que tu viennes voir ton père, ça me fait quelqu'un à qui parler. Je suis aveugle, baptême, je suis pas muet. Moi, j'ai travaillé plus de cinquante ans dans le commerce, je suis habitué à parler au monde, puis là, la mode de la retraite arrive, puis, veux, veux pas, faut que tu la prennes, la maudite retraite, pour laisser la place à ton fils qui a tout rôti dans le bec.

— C'est toi qui voulais absolument que je prenne la relève...

— Puis là que j'ai rien à faire que de me trouver des maladies, j'en trouve. Puis si j'en trouve pas, j'en invente... pour retenir ta mère. Mais on dirait que ça la fait sortir plus. Tu sais pas sa dernière trouvaille : elle veut étudier à l'université du troisième âge. Elle est tombée sur la tête ! Moi, j'ai été chanceux, si on peut dire, j'ai une maladie de la cornée, j'ai le droit de chiquer la guenille, mais toi, mon garçon qui est né avec une cuillère d'argent dans la bouche, toi, viens pas me dire que t'as des problèmes. Viens pas te plaindre à moi, ton père qui a plus rien à attendre dans la vie que de mourir puis te laisser sa business, sa maison, ses placements. Ça, à condition bien sûr que ta mère se remarie pas pour laisser tout à son nouveau chum. Je le sais-tu, ce que ta mère fait tous les jours à courir la galipote ?

— Je peux pas croire, p'pa, toi qui as eu des maîtresses toute ta vie, que t'es jaloux !

— Elle est belle, ma femme. Toi, tu la vois pas, c'est ta mère, mais c'est encore une maudite belle femme, puis même si on s'entend pas sur tout, il y a encore une affaire qui marche entre nous, c'est le lit.

Simon ne veut pas entendre ces confidences.

— P'pa, je viens de me souvenir qu'il faut que j'aille chercher Ariane.

— Elle sort elle aussi ? Mauvais signe. Laisse-la pas commencer ça. Tu vas te retrouver tout seul comme moi.

— Je suis pas inquiet. Moi, par contre… Papa…

— Les femmes, tu leur donnes un pouce… Sais-tu comment ç'a commencé, la liberté des femmes ?

— O. K. Tu me raconteras ça une autre fois.

Simon cherche sa joue pour l'embrasser. Son père le repousse.

— Torrieu, tu m'écoutes pas quand je parle !

Simon se rend bien compte que c'est son père qui ne l'écoute pas et qu'il ne l'a jamais fait d'ailleurs. Il est triste, déçu encore une fois.

En arpentant l'allée de gravier qui relie l'appartement de ses parents à sa maison, Simon tire son téléphone de sa poche et appelle Larry.

— Oui ?

— C'est moi. Je veux te voir. Viens. J'ai besoin de toi.

— Vous avez le mauvais numéro.

Plus rien ni personne. Il regarde son téléphone et a le réflexe de le secouer.

Je ne peux pas croire qu'il m'a raccroché au nez.

Il entend l'auto de sa femme arriver. Il court presque pour lui ouvrir la portière, lui tend la main pour qu'elle sorte, la prend dans ses bras et la serre longuement. Ariane le repousse doucement.

— T'as fait une bêtise, Simon ?

— Non, pourquoi tu dis ça ? Tu me reproches de plus être galant comme avant, je le suis, t'es pas contente ?

— Je m'excuse.

Ariane lui donne un léger baiser sur la bouche à son tour.

— Tu me demandes pas d'où je viens, chéri ?

L'occasion est trop bonne pour la laisser passer.

— Je te fais confiance. Notre mariage est basé sur la confiance mutuelle. J'ai entendu ma mère, toute ma jeunesse, questionner mon père sur ses allées et venues. Ça l'a pas empêché de la tromper.

— Mais pourquoi tu me dis ça ?

— Je suis pas mon père. Puis, nous autres, c'est pas pareil, on s'aime.

Je ne mens pas, on s'aime. J'aime ma femme.

— T'es bizarre, toi, depuis quelque temps.

— Moi, comment ça ?

Il joue à merveille l'innocence.

— Je le sais pas, une impression. T'es pas présent. Je te sens préoccupé, ailleurs. S'il y avait quelque chose qui marchait pas, tu me le dirais ?

— Je voulais te le cacher pour pas te faire de peine.

— Quoi ?

Elle est suspendue à ses lèvres.

Il n'a pas le courage :

— C'est papa puis maman.

Elle a un soupir de soulagement, dans sa tête.

— Ils veulent divorcer, imagine-toi donc.

— Qu'ils divorcent, ils vont être bien plus heureux. Moi, à la place de ta mère…

— Oui ?

Il se sent menacé. Il braque ses yeux sur elle.

— … il y a longtemps que je serais partie. Moi, être trompée, je prends le bord. Tu le sais, ça !

— C'est pas aussi simple que ça.

— Ils se sont juré fidélité, non ? C'est quoi, le mariage, dans le fond ? C'est une assurance fidélité. C'est pour ça, les mariages gais…

Simon ne veut pas s'embarquer dans une autre discussion sur la fidélité, elles finissent toujours dans les larmes.

— 'Stie, on peut pas parler avec toi. Faut toujours que tu me sortes des grands principes !

Oh que j'ai honte ! Oh que je suis cheap ! Je suis dégueulasse. Je me déteste. Et tout ça pour qui ? Lui. Je suis possédé du démon.

Ariane, en ouvrant la porte de leur maison, lui fait un grand sourire tendre :

— C'est la crise de la quarantaine. Je sais, je suis dedans moi aussi.

Ses doutes sur la fidélité de sa femme reviennent. Il sait comment il est facile de tromper. Où était-elle ce soir ? Il refoule son angoisse pour s'adonner à son plaisir coupable, penser à Larry, revivre leur nuit au bord du lac.

Ariane et lui vaqueront à leurs préparatifs de la nuit et s'endormiront, côte à côte, sans se parler, comme ça leur arrive de plus en plus souvent.

Le lendemain, Benoit est toujours aussi déterminé à découvrir ce qui se passe dans la vie de son patron.

— C'est pas moi, j'espère, qui te mets dans cette humeur-là.

— C'est pas toi.

— Ta femme ?

— Oui, bon. T'es content là ? Une autre bonne raison pour toi de rester célibataire, hein ? Maudit chanceux !

Le téléphone de Simon sonne.

— Allô... Quand tu veux... Salut, Larry.

Il se sent obligé d'ajouter un mensonge à sa déjà longue liste :

— Un autre qui a des problèmes de couple puis qui pense que je peux l'aider. Je suis dans l'arrière-boutique, tu me l'enverras quand il arrivera. Je vais travailler dans ma comptabilité. Tu me déranges sous aucun prétexte dans mon bureau de psychologue.

Sur ce, Simon s'enfuit vers sa cachette, là où il peut rêver à l'être aimé, parce qu'il aime comme il n'a jamais aimé, d'un amour passionné.

L'amour de ma femme est un amour raisonné. C'est elle que je veux pour être la mère de mes enfants, pour m'aider à me bâtir un avenir. J'ai besoin d'elle. C'est une compagne de vie, une amie. Je l'aime avec tout mon cœur, ma tête...

Il sursaute quand on frappe à la porte de l'arrière-boutique. Tête penchée sur ses livres de comptes, Simon fait semblant qu'il met de l'ordre dans ses papiers. La porte s'ouvre sur Benoit.

— Monsieur le psychologue, votre patient est arrivé.

Il laisse passer Larry, pressé comme à l'accoutumée, et referme la porte.

— C'est quoi, la farce? Ah, puis laisse faire. Je suis venu pour mettre des choses au clair entre nous deux. Jamais, t'entends, jamais tu me téléphones le soir. Ma femme et moi, on a une entente entre nous. On fait ce qu'on veut chacun de notre côté, mais quand on est ensemble on l'est à cent pour cent. D'autant plus qu'elle vient d'accoucher et va bientôt sortir de l'hôpital. Jamais le soir.

— Je m'excuse.

— Je veux pas avoir à te le redire.

— Je le referai plus. Je te le jure.

— Bon.

Larry s'approche, le prend durement par la chemise et l'embrasse. Simon l'embrasse à son tour, comme pour l'avaler.

— Larry, je peux pas supporter l'idée que je sois pas le seul dans ta vie. J'ai beau essayé de mettre fin à notre relation...

— Je supporte bien, moi, que tu sois marié.

— Mais moi, je peux pas me passer de toi, je peux pas vivre sans toi...

— Les grands mots tout de suite!

— Si tu savais...

— Je sais, je tombe en amour souvent.

— Moi… c'est pour la vie.

— On dit ça et puis on trouve quelqu'un d'autre.

— Tu me fais peur.

— C'est toi qui me fais peur.

Larry jette un œil à la porte.

— Bon, c'est tout ce que j'avais à te dire. Plus de téléphone ni de courriels, ni de textos le soir. Puis quand le bébé va être à la maison…

La passion pousse Simon vers Larry. Il lui chuchote :

— Je vis pas quand t'es pas là.

— Ben oui, tu vis.

Simon sait qu'il est ridicule, mais il tombe à genoux, l'implore :

— Pars pas !

Larry le relève en essayant de ne pas rire. Simon l'attrape, le serre contre lui, se frotte sur lui. Larry se dégage.

— Je file à l'hôpital.

— On se voit à six heures ? Quelque part. N'importe où. Je t'en supplie.

Larry regarde sa montre et prend une minute de plus pour bien se faire comprendre :

— Écoute-moi bien, Simon. Entre nous, pas d'attaches, pas de liens, pas de promesses, pas de fidélité, la liberté totale.

— Y a pas de liberté en amour.

— Qui parle d'amour ? L'amour, les sentiments, c'est avec ma femme, avec les autres…

— Moi, je suis quoi là-dedans ?

— Le sexe. Sans passé, sans avenir, sans remords. C'est une sorte de sport qu'on pratiquerait ensemble. Si tu t'attends à autre chose, tu vas être malheureux. Tu vois, je suis honnête avec toi. Y a rien à attendre de moi que le sexe quand je veux, quand ça me tente. C'est à prendre ou à laisser.

— Je suis preneur. Ce soir ?

Larry sourit. Il préfère avoir raison qu'être aimé.

— Peut-être. Ça va dépendre de l'arrivée du bébé à la maison. Je vais t'appeler… peut-être.

— Merci !

Simon a honte d'être dépendant, mais le désir contrarié est un aphrodisiaque puissant. Larry sort de l'arrière-boutique en courant, un texto vient de lui apprendre que l'hôpital a donné son congé à sa femme et son enfant.

Simon boit un grand verre d'eau. Benoit entre.

— Fais pas ça.

— Quoi ? Qu'est-ce que je fais ?

— T'es plus là. Quand t'es là, t'as la tête ailleurs.

— T'es là, toi. T'as été la condition de mon père. « Je te laisse le magasin à condition que tu gardes Benoit. » Je sais que tu lui fais un rapport tous les jours sur moi.

— C'est faux. Je veux pas avoir à lui dire pourquoi et pour qui tu négliges le magasin.

— C'est toi qui me fais la morale ?

— Oui, c'est moi. T'es marié, t'as des enfants…

— Je le sais, puis je les aime, puis je veux pour rien au monde les faire souffrir, mais Larry est entré dans ma vie et c'est comme si je sortais des limbes et que j'étais moi-même pour la première fois. Je dormais et il m'a réveillé. J'existais et maintenant je vis.

— T'es devenu homo, toi ?

— Je suis hétéro, mais j'aime un homme, il aurait été une femme, je l'aurais aimée aussi. Larry est une personne que j'aime, point final.

— O.K., t'es bisexuel. T'es un gai honteux, un gai qui veut pas s'assumer. Je comprends pourquoi tu t'es marié et que t'as eu des enfants. C'est une maudite bonne couverture.

— C'est pas vrai.

Simon est furieux contre Benoit, qui lui jette en pleine face ses propres interrogations.

— Si t'es pas ce que je pense, méfie-toi. Larry va briser ta vie.

— Non, il me la donne, la vie.

— Oui, mais quelle vie !

Simon est frappé en plein cœur. Comme dans un film en accéléré, il se voit mentir, mentir, mentir. Benoit lui fait un café. Un silence lourd s'installe.

— Qu'est-ce que tu veux dans la vie, Simon ?

— Larry !

— T'es en amour pour vrai, t'es pas parlable. Je retourne travailler.

Simon, qui a un élan d'affection pour Benoit, le prend par l'épaule :

— J'ai tout puis je veux tout puis je vais tout avoir.

— On peut pas tout avoir, justement.

— Moi, oui.

Benoit ne trouve plus rien à dire. Il plante son patron là, qui soudain regrette d'avoir trop parlé :

— C'est entre nous, lance-t-il à son employé.

— Ce qui se dit au magasin reste au magasin.

Ce soir est le plus long soir de ma vie. Il est onze heures et Larry n'a pas encore téléphoné, n'a pas envoyé de courriel ni de texto. Je vais me coucher ou j'attends encore ?

Une longue silhouette en robe de nuit apparaît dans le salon.

— Qu'est-ce que tu fais à la noirceur, mon amour ?

— Rien. J'ai pas allumé la lampe, c'est tout. C'est grave ?

— Qu'est-ce que t'as que tu me dis pas ?

— J'ai rien.

— Je te connais. Je sais que tu as quelque chose que tu veux pas me dire.

— Laisse-moi vivre, veux-tu ?

— Je suis pas folle, t'es plus le même. Tu sors ou tu rentres tard ; quand t'es ici, t'es pas là.

— C'est pas tentant de rentrer dans une maison où j'ai que des reproches.

— T'es de mauvaise foi !

Au lieu de monter à sa chambre comme elle le fait chaque fois qu'il est dans cet état, Ariane s'assoit près de son mari, lui prend la main et, doucement, comme on parle à un enfant qui s'est blessé, lui demande :

— Dis où ça fait mal.

La tendresse maternelle de sa femme lui ramollit le cœur. Lui qui a été élevé par une femme qui n'aime pas les enfants est prêt à se confier et à laisser panser ses plaies par Ariane.

— Je sais pas ce que je veux.

— Je peux peut-être t'aider ?

À ce que Larry m'aime ?

Simon se lève pour se soustraire à l'envoûtement.

— Chérie, si tu veux m'aider, pose-moi plus de questions.

Ariane est vexée d'être mise à l'écart. Elle se relève, et ce n'est qu'au pied de l'escalier qu'elle lui lance sur un ton cassant :

— Il y a une autre femme dans ta vie !

Simon doit penser vite, décider en une seconde s'il avoue ou nie :

— Y a pas d'autre femme dans ma vie. Je te le jure sur la tête des enfants.

Il est fier de s'en sortir par une astuce. Ariane est soulagée.

S'il n'y a pas d'autre femme dans sa vie, les autres problèmes, c'est rien.

Elle lui tend les bras, il s'y vautre comme un enfant coupable d'une bévue qui se sent pardonné. Il lui murmure dans l'oreille :

— Je t'aime, tu sais ça ?

— Moi aussi, tellement.

Ils se serrent comme pour faire face à un danger imminent. Lui la serre plus fort qu'elle. Il sent le besoin de la protéger. Il sent le besoin d'en rajouter :

— Je serai toujours là, quoi qu'il arrive.

— Je serai toujours là, quoi qu'il arrive.

Enlacés, ils montent à l'étage, regardent avec émotion leurs enfants qui dorment profondément.

Une fois les ablutions du soir terminées, ils se couchent, se souhaitent bonne nuit, échangent un dernier baiser, et Ariane demande le plus légèrement possible :

— Chéri, juste par curiosité, que fait la boîte de préservatifs dans ton sac à dos ?

Il semble très calme, mais au fond de lui c'est le tumulte. Il lui faut trouver une bonne excuse et vite. Comme il n'en trouve pas, il a recours à sa technique d'intimidation :

— Je t'ai juré qu'y a pas d'autre femme dans ma vie. Si ça te suffit pas, crois ce que tu veux, baptême !

La petite fille qui sommeille en Ariane se tait, apeurée. *Ne pas faire fâcher papa.* Elle a passé son enfance à craindre la colère verbale de son père. Elle entend encore sa mère l'accuser de provoquer son père avec ses insolences : « Ne le cherche pas, tu sais qu'il est colérique. »

Elle se promet de ne plus poser de questions à son mari, de garder pour elle ses doutes de plus en plus sérieux.

Je vais être assez fine qu'il me trompera jamais. Mais quand même, que fait la boîte de condoms dans son sac à dos ?

Elle se colle contre son dos, l'entoure d'un bras et espère faire l'amour pour vivre ce court moment où il est tout à elle, en elle.

Faire l'amour avec elle, en pensant à lui. Jamais !

Il se tourne face au mur et adopte la respiration de celui qui va bientôt s'endormir.

Simon, sans nouvelles de Larry, se rend tous les jours à son travail comme un automate. Le soir, il s'occupe des repas et des enfants, se couche tôt, si tôt qu'il dort quand sa femme vient le rejoindre. Le matin, il se lève avant elle. En somme, ils se voient à peine et ce sont les horaires chargés qui en sont responsables en apparence. Ariane a remarqué qu'il la regarde moins avec désir, qu'il ne durcit plus quand elle le caresse. Elle ne connaît aucun mot doux pour parler de sa soudaine et inexplicable incompétence sexuelle. Elle sait d'instinct qu'on ne parle pas de ça à un homme. C'est un sujet tabou dans un couple. Le mot « incompétence » n'est pas juste ; elle l'a aperçu en train de se masturber sous la douche. Pourrait-elle être la cause de la panne de désir de son mari ? Elle a molli, vieilli peut-être ? Si son mari ne la désire plus, c'est sûrement sa faute à elle. Elle voudrait qu'ils s'en parlent.

Simon voudrait bien être capable de remiser son histoire avec Larry avec les vieux chagrins de son enfance, passer l'éponge.

Effacer le tableau noir, récrire ma vie, oublier.

Hélas le silence de son amant agit comme stimulateur de son désir. Moins il le voit, plus il le veut. Il laisse des messages, Larry ne les retourne pas. Il va l'attendre devant les magasins où il pourrait se trouver. Rien. Larry est invisible.

Je deviens fou.

Il se raconte des histoires qu'il ne croit qu'à moitié.

S'il ne veut plus me voir, qu'il me le dise en pleine face. Juste une fois encore le tenir dans mes bras, ce sera la dernière fois. Je veux être capable de lui dire une dernière fois qu'il a changé ma vie. Juste ça.

Il a une telle envie de le voir qu'il ouvre son ordinateur et, à force de recherches sur Google, trouve son adresse privée. Il quitte le travail sous prétexte d'aller écornifler la concurrence dans un centre commercial. Il se rend dans le quartier Griffintown, à Montréal, trouve un endroit où stationner, marche jusqu'à l'édifice à condos, se rend devant sa porte et sonne. Le cœur battant, il attend, puis sonne une autre fois en insistant. La porte s'ouvre sur une jeune femme en robe de chambre tenant un tout petit bébé dans ses bras. Elle est terriblement mignonne.

— Ah !

Il ne s'attendait pas à ça. Il est déçu. C'est Larry qu'il veut voir.

— Je vous dérange ?

— J'allaitais.

Il reste sur le pas de la porte. Il ne sait plus ce qu'il doit faire.

— Lawrence est pas ici.

Du menton, elle lui désigne un siège dans le petit salon ultramoderne. Simon voudrait se voir ailleurs.

— Je sais qui vous êtes. Il me raconte tout. Attendez-moi, ce sera pas long.

Nathalie fait un pas vers la chambre que l'on devine. Elle revient dans le salon, s'assoit dans un confortable fauteuil de cuir :

— À moins que j'allaite pendant que je vous parle. Vous avez dû voir votre femme allaiter. Vous avez deux enfants, n'est-ce pas ?

— Non, non. Je veux dire oui. Non, allez-y, oui.

Installée en face de lui, elle sort un sein de sa robe de chambre, met le mamelon dans la bouche du bébé.

— Une fille ?

— Un garçon, du moins on pense, on verra plus tard. Il sera ce qu'il veut.

Simon n'a jamais de sa vie rencontré une fille décontractée à ce point. Il ne sait pas où regarder ni quoi dire. Au bout d'une minute, il se décide :

— Faut absolument que je lui parle, il devait me livrer des tentes, elles sont pas arrivées. L'été commence. Je veux bien croire que c'est loin, la Suède...

— Vous êtes son amant.

Ce n'est pas une question, mais une affirmation.

— Euh... je vais partir.

— Non, restez. C'est bon pour mes travaux. Je suis étudiante en sexologie et je fais mon mémoire de maîtrise sur l'identité sexuelle. C'est en faisant mes recherches que j'ai rencontré Lawrence. Il acceptait de me parler de sa bisexualité. Je suis tombée en amour avec lui. Le bébé est le produit de notre amour. On lui a donné un nom qui se prête aussi bien à une fille qu'à un garçon : Claude. Il choisira son genre ou passera de l'un à l'autre. Ce que j'ai trouvé dans mes recherches, c'est que la sexualité, ça se divise plus en normal, pas normal, hétéro, homo, c'est beaucoup plus complexe. Moi, je suis attirée par

Lawrence, qu'il soit homme ou femme. J'aime ce qu'il est, lui. Qu'on l'étiquette gai ou bisexuel, je m'en fous.

Simon n'a pas l'habitude de ce langage cru et direct, de ce manque de pudeur chez une femme. Il est gêné. Dans le fond, il ne veut pas entendre ce qu'elle dit, de peur d'apprendre la vérité sur sa propre sexualité.

— Je viens de me souvenir que j'ai un rendez-vous important.

Il se lève et se précipite vers la porte. Elle le suit tout en continuant à donner le sein au bébé.

— Revenez… La bisexualité est un sujet tabou, on pourra en discuter.

Simon a déjà ouvert la porte lorsqu'elle lui dit :

— Je comprends que vous soyez sous son charme, je le suis moi aussi.

Il revient vers elle pour poser la question qui le tarabuste :

— Vous êtes pas jalouse ?

— La jalousie, c'est un manque de confiance en soi. J'ai confiance en moi.

— Mais la fidélité…

— On s'est promis de pas se faire souffrir. On respecte notre promesse.

— Moi, j'ai promis à ma femme de rester fidèle toute ma vie.

— La fidélité, c'est une notion ancienne imposée par l'Église.

Simon n'en peut plus. Il recule vers la porte entrouverte :

— Je m'excuse de partir en coup de vent.

— Simon…

Elle sait même mon nom.

— Laissez-nous-le.

Cette fois-ci, il fuit sans un mot.

Dans quoi je me suis embarqué !

Dans l'ascenseur, il repense à sa visite à… – il ne sait même pas son nom ! – la conjointe de Larry. Un monde s'ouvre à lui. Il quitte l'immeuble, ébranlé dans ses croyances, et croise Larry qui sort de sa voiture les bras chargés de sacs d'épicerie.

— Qu'est-ce que tu fais ici ?

— Je te cherche partout, Larry.

— Qu'est-ce que tu veux ?

— Toi.

Simon a l'air d'un petit chien qui demande une caresse. Ce désir si intense, si vrai trouble Larry pendant un court instant.

— C'est pas une raison pour entrer dans ma vie privée. Que je te revois plus rôder autour d'ici.

— Je le ferai plus. Ce soir ?

Larry éclate de rire.

Décidément, c'est l'amour avec un grand A !

— À ton magasin.

— Quelle heure ?

— Je le sais pas. Je peux pas te parler plus longtemps, la crème glacée va fondre.

Il montre le litre qui dépasse du sac.

— Je m'excuse.

Larry le salue de la main et ses lèvres prononcent le mot « magasin » sans qu'aucun son s'échappe.

Ce soir-là, dans l'arrière-boutique, ils font l'amour comme des déchaînés. Deux hommes qui font l'amour, c'est un sport extrême.

Plus tard, en prenant une bière, ils parlent enfin. Simon veut tout savoir de l'être aimé :

— Comment ç'a commencé, toi ?

— Je suis né comme ça. Il y en a qui naissent ambidextres, moi je suis né bisexuel. J'ai pas choisi ça, c'était là, naturel. L'été, on avait un chalet dans le Nord puis, avec les cousins et les cousines, on jouait dans la cabane à chaloupes. On jouait au docteur comme tous les enfants du monde. Moi, je jouais pas toujours au docteur avec une fille, je jouais des fois avec des gars. Un ou l'autre, c'était le fun, pas de différence. À quinze ans, j'ai eu ma première blonde, elle en avait seize, elle était amoureuse folle de moi parce que je dansais bien. Une fille compliquée, fallait pas la toucher. Y aurait fallu que je la fiance pour la frencher. Tu vois le genre d'agace. Un jour, en allant la chercher chez elle, je rencontre son frère, beau comme un dieu grec, ç'a été tout seul. C'était comme si je me faisais l'amour, pas de chichis, pas de sentiments, pas de promesses : le sexe pour le sexe. Le plaisir pour le plaisir. Au cégep, je suis tombé en amour avec une étudiante et avec un professeur marié, père de famille, hétéro à l'os. Il me trompait avec sa femme, je le trompais avec une étudiante. On a cassé. J'ai été un bout de temps à rien, bien à moi-même. Je t'en passe des bouts, ç'a toujours été le même pattern. Un homme, une femme, en alternance, rarement en même temps, trop compliqué. Puis il y a un an et demi, je donne un témoignage sur la bisexualité à une étudiante en sexologie, une amie d'un gars que je connais, et je lui dis tout. Elle comprend qui je suis ; elle l'étudie. En fait, si elle a choisi ce thème pour son mémoire de maîtrise, c'est qu'elle a elle-même des doutes sur son identité sexuelle. Je tombe en amour avec elle, on décide d'habiter ensemble. C'est Nathalie. On s'est mariés civilement quand on a su qu'elle était enceinte parce qu'elle voulait protéger le petit, mais c'est un mariage ouvert côté sexe. Chacun fait ce qu'il veut, et on reste ensemble pour l'enfant. Le secret de la réussite de notre union ? On se dit tout, pas de cachette, pas de mensonge, comme ça on se trompe pas, jamais. En ce moment, avec moi, elle est hétéro, mais si elle veut ramener une fille à la maison, moi je suis *game*.

— Et elle est d'accord ?

— Je me serais pas marié sans cet arrangement-là. Un mariage bi peut juste être ouvert.

Simon ne veut pas être en reste dans la confidence :

— J'ai quarante ans. Avant toi, j'avais jamais rencontré de bisexuel. Je savais que ça existait, mais de là à en connaître un... Où sont-ils tous ?

— Ils se cachent. Les bisexuels sont les parias de la sexualité. Ni blanc ni noir, ni homo ni hétéro. Pas de case, t'es accepté nulle part. Tu vis ta vinaigrette en te cachant.

— Donc c'est pas si le fun que ça ? Finalement, tu es à moitié hétéro, à moitié gai. Tu dois quand même avoir une préférence.

— Non ! T'es fatigant avec tes questions. Mais j'ai le meilleur des deux sexes, la tendresse avec les femmes, la rudesse avec les hommes. Des fois, j'ai le goût de lèvres douces et pulpeuses, et d'autres fois de barbes piquantes. Les deux sexes ont des choses différentes et passionnantes à offrir. Je caresse une femme, je me tiraille avec un homme. C'est complet, je me sens complet.

Simon rit jaune, et ils se mettent à se chamailler comme font les gars pour se toucher sans se faire traiter de gais.

Simon ne rit plus quand, à deux heures du matin, il se faufile dans la chambre conjugale.

— Tu sais l'heure qu'il est?

— Tu dors pas, chérie?

— Qu'est-ce que tu penses? Rentrer si tard... Pas de téléphone, rien. Je te pensais mort. Ton cellulaire est fermé. Où étais-tu?

— Je rentre, je suis là.

— C'est pas ton heure...

— C'est quoi, mon heure? Les enfants ont une heure. Moi, c'est quoi?

— Qu'est-ce que t'as?

— Non mais c'est vrai, je suis pas ton enfant.

Devant tant de mauvaise foi, Ariane se tait. Ce n'est qu'après la douche de son mari, chose inhabituelle chez lui qui la prend plutôt le matin, qu'elle lui lance:

— Tu me trompes. Je le sais.

Il ne répond pas. L'accuser pour se disculper comme il le fait toujours ne peut pas marcher dans ce cas-ci. Sa femme lui est fidèle, il en est certain. Il joue l'étonnement, comme si elle inventait des histoires. Elle insiste:

— T'as changé.

— Moi ça?

— Oui, toi. Tu te parfumes tous les matins, tu t'es acheté des bobettes sexy, mais surtout tu fuis mon regard. Regarde-moi!

Il se force à la regarder dans les yeux. Il se sent comme lorsqu'il était enfant et que son père voulait lui faire avouer une bourde qu'il avait commise. Il savait qu'il serait pardonné s'il disait la vérité, alors il avoue:

— Je suis en amour.

Quand Ariane affirmait « Tu me trompes », c'était dans l'espoir de se faire rassurer. Elle est surprise, vraiment surprise.

— Toi ?

— Oui, moi.

— Avec qui ?

Comme si ça pouvait être utile de savoir avec qui au juste je suis en amour…

Comme il ne répond pas, elle lui crie :

— Qui ?

Il lui fait signe que les enfants dorment et chuchote :

— Un homme.

— Qui ? Je la connais-tu ?

Ou bien elle n'a pas entendu, ou bien elle ne veut pas entendre.

— C'est pas une femme. C'est le gars, Larry, que tu as d'ailleurs croisé au restaurant.

Ariane a peine à comprendre ce qu'il dit. Comme si ses oreilles se bouchaient pour la protéger de la douleur. Simon se fait tendre, du revers de la main, il lui caresse la joue.

— Regarde-moi, toi aussi. J'aime un homme pas parce qu'il est un homme, mais parce que j'aime l'être humain qu'il est. J'aime Larry, qui s'adonne à être un homme.

Elle se lève, va fermer la porte de la chambre, met le crochet. Reste debout près du lit. Les enfants ne doivent pas entendre des choses aussi laides. Il reprend :

— Je t'ai jamais trompée, Ariane, jamais, mais là, je le sais pas ce qui s'est passé, je suis tombé en amour.

Ariane s'assoit sur le lit, dévastée.

— Appelle ça de la folie, de la passion. Il me manquait une partie de moi, Larry me la donne. Je savais pas qui j'étais, je le sais.

— Arrête !

Mais il ne peut pas s'arrêter, il a besoin de parler de son amour pour le rendre plus concret à ses propres yeux.

— Je l'ai pas voulu, cet amour-là, je l'ai pas cherché, c'est arrivé comme une tornade. Je suis pris dans une tornade qui a pas d'allure, je le sais, mais c'est là pareil et je suis emporté. Je voudrais arrêter, reculer, revenir comme avant, c'est trop tard.

Ariane émet une question à peine audible :

— Puis moi ?

— C'est pas toi qui es pris dans la tornade, c'est moi. Toi, tu restes ma femme, la mère de nos enfants. T'es mon point d'ancrage, t'es ma bouée de sauvetage. Lui, c'est ma folie, toi, t'es ma raison. J'ai besoin des deux.

Elle se débat comme elle peut.

Mon mari me trompe avec un homme. Qu'est-ce que je fais ? Contre une femme, j'aurais su me battre, me semble, mais contre un homme...

— Toi, homosexuel, j'en reviens pas ! Ça se peut pas, pas homosexuel.

— Non, je te jure que je le suis pas.

— Alors c'est la curiosité qui t'a jeté dans ses bras ?

— Même pas.

— C'est juste un trip sexuel, tu l'aimes pas pour vrai.

Simon hésite à se servir du verbe « aimer ». Est-ce bien de l'amour qu'il ressent pour Larry ? Après quelques secondes de réflexion, il dit :

— Je l'aime.

— Si tu l'aimes, c'est parce que t'as cessé de m'aimer ?

— Non, j'ai pas cessé de t'aimer !

— Oui !

— Je vous aime tous les deux. Je le sais ! C'est moi qui aime !

— Ben moi, je vivrai pas entre vous deux. Tu peux aller vivre avec lui si tu veux, mais je resterai pas là à attendre que tu me reviennes, je suis pas ta mère !

Il reste calme, il sent qu'elle souffre, il regrette de la blesser. Il lui prend la main :

— Tu comprends pas.

— Ça se comprend pas.

— Le choc que j'ai eu de découvrir que je pouvais être attiré par un homme, ça m'a scié en deux. Je voulais pas. Je le savais que je te ferais de la peine, mais j'étais pas capable de m'en empêcher. Des bras d'homme, un corps d'homme, des caresses d'homme, ce contact-là, j'avais jamais vécu ça. Mon père m'a jamais touché, il m'a jamais embrassé…

Elle l'interrompt :

— Va-t'en !

— Je voudrais que tu comprennes…

— Et que je te donne ma bénédiction ? Compte pas sur moi.

— Tu peux pas m'empêcher de t'aimer !

Elle cherche quelque chose à lui lancer par la tête, saisit la lampe de chevet. Simon sort et tombe face à face avec son fils et sa fille, morts de peur dans le corridor. Il voudrait les rassurer, mais il craint la colère de sa femme et descend dans le vestibule. Il s'aperçoit qu'il n'a qu'une serviette de ratine autour de la taille. Il l'enlève et empoigne son imperméable accroché près de la porte. Il l'endosse.

Quelques minutes plus tard, Ariane entend crisser les pneus de la voiture. Elle pleure d'impuissance, de rage et de douleur. Les enfants, inquiets, se serrent contre leur mère.

***

Dans l'appartement de Larry, c'est le calme après la tempête. Le bébé, après avoir crié sans arrêt pendant une heure, vient juste de s'endormir. Nathalie a peu de lait, et Claude a un appétit féroce. Le couple s'enlise dans un sommeil profond quand le carillon de la porte résonne. D'abord, les nouveaux parents se refusent à y croire puis, pour faire cesser le bruit qui pourrait réveiller le bébé, Nathalie pousse Larry hors du lit. Il se lève, nu comme un ver, et va entrouvrir la porte en se cachant derrière.

— Larry. Oh, Larry !

— Pas si fort, le bébé !

Simon est désemparé, au bord des larmes, et c'est à voix basse qu'il avoue :

— Ma femme m'a mis à la porte.

— Va lui demander pardon, elle va te reprendre.

Larry tente d'arrêter Simon qui fonce vers le salon. Larry lui barre la route. Son lit qui l'attend est sa priorité.

— Faut que je dorme, le bébé boit aux deux heures. Va. On se parle demain.

Il veut l'entraîner vers la sortie, mais Simon est déjà assis au salon.

— Je sais pas où aller.

— Y a plein d'hôtels.

— Je sais pas à qui parler.

Ils entendent la voix endormie de Nathalie :

— C'est qui ?

— C'est la télé. Fais dodo.

Larry se tourne vers Simon pour ajouter :

— Toi, si tu réveilles le bébé, ce sera pas beau.

Simon se lève et prend Larry dans ses bras, mais celui-ci le repousse.

— Pas ici. Viens dans mon bureau.

Il l'emmène dans une petite pièce fermée au bout du corridor et ferme la porte derrière lui. Simon se laisse tomber lourdement sur la chaise de bureau.

— Ariane, je lui ai dit pour nous deux.

— Pourquoi t'as fait ça?

— J'ai pas pu faire autrement, elle pensait que je la trompais avec une fille…

— Tu lui as dit: «Je couche avec un gars»?

— … J'aime un gars.

Larry s'impatiente:

— T'es cave, c'est même pas de l'amour. C'est une expérience, une diversion, une aventure, pas de l'amour.

— Je sais ce que je ressens.

— Moi aussi, et c'est pas de l'amour. Tu vas aller retrouver ta femme puis lui expliquer que ça lui enlève rien, ce que je te donne, elle peut pas te le donner. Ça fonctionne d'habitude avec les femmes, dis-lui que ton aventure, c'est comme du luxe sexuel dans ta vie. Le luxe, on en a pas besoin pour vivre, c'est un ajout. Ça embellit la vie…

— J'ai pris une décision, je veux vivre avec toi.

— T'es malade!

— Depuis que je suis né que je suis raisonnable. J'ai toujours répondu aux désirs des autres avant les miens.

— J'ai une femme et un enfant, crisse!

— Moi aussi, deux enfants.

— Je veux pas que tu laisses ta famille pour moi. Je veux pas laisser ma famille pour toi.

— Je suis prêt à divorcer.
— Pas moi !
— Je te désire.
Il aurait dit « Je t'aime », mais ces mots-là sont réservés aux femmes, les hommes, entre eux, s'en servent moins.
Larry veut aller dormir, il cherche les mots définitifs :
— Va me désirer ailleurs !
Cette phrase sans équivoque devrait refroidir Simon. Pas du tout.
— Je sais pas ce que tu m'as fait, mais t'as pris toute la place dans ma vie. Même le magasin m'intéresse plus. Tu me demanderais d'être ton esclave que je le serais. Je t'ai dans la peau, mais surtout je suis amoureux de toi comme je l'ai jamais été de personne. En m'en venant ici, je pensais aux religions pour lesquelles on tue, je tuerais pour toi. Tu m'as endoctriné, lavé le cerveau.
— Woh, les nerfs ! On a juste couché ensemble.
Simon l'attrape et l'étouffe sous ses baisers.
— Lâche-moi, crisse de fou ! Sacre ton camp avant que j'appelle la police.
— Je t'aime !
— Moi, je t'aime pas !
Simon n'arrive pas à croire que l'amour qu'il ressent pour Larry ne soit pas réciproque.
— Je te crois pas. Tes yeux quand tu me regardes…
— Du désir.
— Nos caresses ?
— Du cul.
Les bras lui tombent.
— J'étais heureux, bien tranquille avec ma petite famille. Tu es arrivé…

— Je t'ai pas forcé. Je force jamais personne, je veux pas de troubles.

— Je serai pas de troubles.

— Je veux baiser, pas aimer.

— Je vais faire ce que tu vas vouloir.

Simon est épuisé, lessivé. Il a atteint le fond du baril, lui qui se demandait, il y a à peine un mois, qui il était se demande maintenant: *Je suis quoi?*

Le lendemain matin, Ariane appelle à l'hôpital où elle travaille comme orthophoniste et prend congé sous prétexte de gastro, puis elle se précipite chez ses beaux-parents. Sa belle-mère est déjà partie faire son bénévolat. Clément écoute la télévision sans la voir sur la chaîne AMI. C'est sur fond de discussion sur la politique provinciale qu'Ariane vide son sac :

— Simon est homosexuel !

Clément ne bronche pas. Il fait comme s'il n'avait pas entendu pour se donner le temps de réfléchir.

— Simon est gai.

Clément ferme la télé et se tourne vers elle.

— Mon fils peut pas être… ce que tu dis. Même le mot… existe pas dans mon vocabulaire. Je te crois pas. Pas mon fils. Où c'est qu'il aurait pris ça ? Ça se peut juste pas, c'est un sportif. Y en a pas dans notre famille. Il y a peut-être eu mon frère, le bâton de vieillesse de ma mère, il s'est jamais marié. Non, c'était un vieux garçon. Ça existait avant, les vieux garçons. Peut-être que mon fils te trompe avec une femme puis qu'il dit que c'est avec un homme pour que ce soit moins souffrant pour toi. Hein ?

Ariane ne l'écoute pas vraiment. Elle a besoin de parler :

— Il aime faire l'amour avec moi. Il peut pas faire semblant. Un homme peut pas faire semblant. Hein ?

Clément reste figé dans ses préjugés :

— Ça, ma fille, t'as raison, un homme peut pas faire semblant. S'il fait l'amour avec toi, c'est qu'il est pas ce que tu dis. Moi, toucher à un gars, pas capable, encore moins coucher avec. Juste à y penser, le cœur me lève. Mon fils aux hommes…

— … et aux femmes. Il dit qu'il est aux deux, qu'il est bisexuel.

— Bisexuel ? Ça existe pas ! C'est des homos honteux.

— Oui, mais la science…

— J'ai pas besoin de la science pour savoir que Dieu a créé l'homme et la femme pour peupler la terre. Les homos, ils peuplent rien, donc c'est des pervers.

Un silence s'installe, qu'il rompt pour en finir avec cette idée qu'il ne peut supporter.

— Pour Simon, si c'est vrai, c'est probablement une passade, une faiblesse, il va revenir comme avant, un vrai homme. Tu vas voir.

Clément pense avoir réglé le problème de sa belle-fille, alors il rallume la télé. Elle s'obstine.

— Je comprends pas qu'il découvre ça à quarante ans et après quinze ans de mariage avec moi.

— Ça doit être une mode, comme le tatouage. Dans mon temps, on était plus sains, les hommes trompaient leur épouse avec des femmes, pas avec des gars.

— C'était pas mieux !

— C'était plus simple.

— Pour l'homme, pas pour la femme.

— Tu le sais, ma fille – parce que dans mon cœur t'es ma fille –, j'ai été infidèle tout le long de ma vie.

Bon, c'est fait, c'est fait. Qu'est-ce que je voulais, qu'est-ce que je cherchais ? Pas vraiment une autre femme, des fois, même souvent, mes maîtresses étaient des copies conformes de la mienne. Je cherchais quoi ? La passion ? L'excitation d'une nouvelle femme ? Du sexe ? Non ! Je cherchais dans chaque nouvelle femme un autre moi, une nouvelle énergie vitale, une facette de moi que je me connaissais pas. Et puis la passion diminuait et je recommençais ma quête de moi-même avec une autre.

Il referme la télé.

— C'est maintenant que je suis vieux que je sais ça. C'est plate, hein, tout ce temps où j'ai couraillé, j'aurais pu le passer à parfaire ma relation avec ma femme. Je te dis ça parce que je pense que les jeunes qui croient que la quantité est plus importante que la qualité se mettent un doigt dans l'œil.

Il s'arrête, ému, il n'est plus Clément le matamore, mais Clément le vulnérable. Il cherche à prendre la main de sa belle-fille, elle la lui donne. Il la serre et, très bas, avoue :

— Si ma femme est jamais ici, c'est pas parce qu'elle fait du bénévolat, c'est qu'elle m'a laissé pour vivre avec quelqu'un d'autre. Puis je l'ai bien mérité. Dis-le pas à qui que ce soit, surtout pas à mon fils. Personne le sait, et je veux pas avoir l'air du gars qui a été cocufié par sa femme, j'ai mon orgueil.

Ariane est troublée par cette confidence mais n'a pas oublié sa souffrance à elle. Elle retire doucement sa main pendant que Clément continue de parler de sa douleur à lui, comme si le mal de l'un pouvait guérir le mal de l'autre.

Quand Benoit ouvre le magasin comme tous les matins, il trouve des traces de désordre ici et là. Il découvre Simon étendu dans un sac de couchage sur un matelas pneumatique.

— Ah ! C'est rien que toi. Quand j'ai vu que la porte était débarrée, j'ai pensé qu'on s'était fait cambrioler. Ouf ! Tu m'as fait peur.

— C'est moi, rien que moi. Il est quelle heure ?

— L'heure du café. Je t'en fais un ?

Benoit veut être discret, mais la curiosité le démange :

— Chicane de couple ? C'est pour ça que je reste célibataire…

— Non, non. Où est-ce que tu vas chercher ça ?

Il constate qu'il ment de mieux en mieux.

— Ça arrive dans les meilleurs ménages.

— Pas du tout !

— T'es en amour avec la cafetière, tu peux pas la lâcher, c'est pour ça…

Simon ne peut pas sortir du sac de couchage, il est nu.

— J'avais pas de place où aller coucher.

— Ah…

Simon décide de lui parler de sa discussion avec Ariane. Pas parce qu'il s'attend à un conseil éclairé, mais parce qu'il a besoin de se confier :

— Je l'ai dit à ma femme… pour Larry.

— Pourquoi ? T'es fou ? Ce qu'on sait pas fait pas mal.

— Je lui ai jamais rien caché puis on se connaît depuis l'enfance. On est mariés, et c'est ma meilleure amie. De toute façon, je suis sûr qu'elle l'aurait appris un jour ou l'autre ou deviné. Il fallait que je lui dise. J'en pouvais plus de lui mentir. Moi, ça m'a fait du bien, je me sens moins coupable.

— Il faut jamais, jamais avouer. C'est ce que je dis aux femmes mariées avec qui je couche. Ton père ?

— Elle a dû lui dire.

— Les enfants ?

Benoit vient de toucher un point sensible.

Simon se lève, une main cachant son sexe, et ordonne à Benoit sur un ton sec, pour ne pas perdre définitivement le respect de son employé, de lui trouver à même la marchandise des vêtements à sa taille.

Benoit obéit en se pourléchant les babines. Plus il est au courant des secrets de son patron, plus il a du pouvoir sur lui.

À la fin de la journée, Simon laisse à Benoit le soin de fermer le magasin et court chercher ses enfants à leur leçon de tennis dans un parc des environs. Il a réfléchi. Il faut qu'il les mette au courant de son aventure, sinon sa femme risque de leur donner sa version.

Il a passé sa journée à préparer dans sa tête un plaidoyer en sa faveur. L'heure venue, il ne sait pas encore de quelle façon on annonce à ses enfants, dont l'un est presque un homme, que leur père est amoureux d'un homme.

Simon se retrouve avec Victor et Hortense en train de déguster le « spécial du jour » de la crémerie Au cornet, où ils ont l'habitude d'aller en famille. Il cherche comment aborder le sujet quand le véhicule de sa femme freine brusquement devant eux. Elle vient de comprendre que son mari est sur le point d'avouer à ses enfants son orientation sexuelle. Cette pensée horrifiante à ses yeux la propulse hors de l'automobile. Elle saisit un bras de Victor et un bras d'Hortense, ce qui fait tomber leurs cornets à trois boules, et les pousse sur la banquette arrière.

Simon n'a pas le temps d'émettre une objection, l'auto d'Ariane tourne le coin de la rue et disparaît avec les enfants.

Il termine son cornet – la crème glacée à la praline est sa friandise préférée –, s'essuie la bouche et part affronter les siens. Il est persuadé que ses enfants et ses parents vont l'appuyer dans sa nouvelle vie. Son père lui a affirmé maintes fois dans d'autres circonstances : « Tout ce que je veux, c'est que tu sois heureux. »

Sa femme lui a dit à répétition depuis quinze ans : « Je crois au pouvoir de la communication. Tant qu'on communiquera, nous deux, on va être heureux. »

Quant aux enfants… « Faute avouée est à moitié pardonnée. » La franchise passe avant tout, alors…

Fort de ces principes encourageants, Simon monte dans son véhicule et se dirige vers sa maison. C'est tout juste s'il ne chante pas. Il a une nouvelle vie devant lui avec un nouvel amour, tout va s'arranger. Il se sent léger pour une fois. En pénétrant chez lui, il aperçoit son père, ses enfants et sa femme qui l'attendent dans la cuisine comme des juges attendent le meurtrier pour le condamner. Il a envie de fuir, d'aller retrouver son amant, mais ses certitudes l'en empêchent.

Ils m'aiment, ils veulent mon bonheur.

Il n'a pas ouvert la bouche que sa femme lui crie :

— Laisse les enfants en dehors de ça !

— Je veux juste aller au-devant des coups.

— T'en as pas assez donné, de coups ? Les enfants ont pas à souffrir de ta mauvaise conduite. Les enfants, allez jouer dans vos chambres. Écoutez-moi !

— Les enfants restent ici. Je veux leur donner ma version avant que tu leur donnes la tienne. Restez !

Les enfants sont mal à l'aise. Ils aiment leurs parents et ils ne veulent pas être obligés de prendre parti pour l'un ou pour l'autre. Ariane les presse de monter à l'étage. Simon leur ordonne de rester assis. Ils sont déchirés. Clément tousse pour s'éclaircir la voix et, de toute son autorité, déclare :

— C'est pas de mes affaires, mais vous êtes pas en état de parler à vos enfants, ni l'un ni l'autre.

Hortense, soulagée, grimpe l'escalier à toute vitesse ; elle déteste les conflits. Victor ne sait pas s'il doit obéir à sa mère ou à son père. De toute façon, il a dépassé l'âge de l'obéissance, croit-il, mais comme il a peur de ce qu'il va entendre, il rejoint sa sœur à l'étage.

Clément, content d'avoir réglé un problème, s'enhardit. Il se lève et, en tâtonnant, s'assoit à la place du maître autour de la table, comme pour reprendre son rôle de chef de famille.

— Simon, installe-toi en face de ta femme. On est des gens civilisés, on devrait être capables de se parler sans se chicaner.

Ils s'assoient.

— Je pense, mon gars, que t'as perdu la boule. Faire ça à ton père qui t'a tout donné. Tu me fais honte, mon garçon. Je regrette de t'avoir donné la vie. J'aimerais mieux que tu voles une banque et que tu te retrouves en prison que de te voir aimer un homme, un bi de surcroît, qu'on sait pas sur quelle branche il se branche…

— J'y peux rien, p'pa.

— Dis-moi pas ça, on peut quand on veut.

— Toi, tu pouvais t'empêcher de coucher avec toutes les femmes que tu rencontrais ?

— D'abord, c'était pas avec toutes les femmes, puis t'as pas à me juger, je suis ton père. Puis un homme, c'est un homme.

— Aime-moi tel que je suis, je suis ton fils. Tu sais, l'amour inconditionnel d'un père pour son fils dont tu me parlais quand j'étais petit, ben, c'est le temps de le montrer.

— T'es plus mon fils ! T'es même plus le gérant de mon magasin !

Simon rirait s'il n'était pas si triste. Il tente de le raisonner :

— Heille, p'pa, on est dans les années 2000. On est pas dans les pays où on tue ou jette en prison ceux qui sont pas hétéros. On est au Québec, où le mariage gai est permis, où les gais peuvent adopter des enfants.

— Les principes ont pas d'âge, pas de pays ! T'es marié, père de famille, t'es à la tête de mon magasin. Tu reviens dans le droit chemin ou… tu sacres ton camp.

— Laisse-moi t'expliquer, p'pa…

— T'es pas un homme. Un homme, quand ça s'engage avec une femme…

— … ça la trompe à tour de bras.

— Sois poli, mon garçon !

— Je suis plus ton garçon, tu viens juste de me le dire. Eh bien, tant mieux, Clément. Je peux te dire ce que je pense de toi, d'homme à homme.

Ariane, qui n'a pas dit un mot, intervient :

— Laisse ton père tranquille.

Elle prend une voix douce, celle qu'elle emploie avec les enfants handicapés.

— Explique-nous ce qui est arrivé.

Simon ravale sa colère contre son père et se tourne vers sa femme :

— L'amour m'a sauté dessus et, par hasard, c'est avec un homme. J'ai pas choisi, c'était pas prémédité. J'ai attrapé l'amour comme on attrape le rhume. Je te le jure. J'y peux rien… Je l'aime d'amour.

Clément se lève, prend le couteau à viande dans le porte-couteaux sur le comptoir et le pointe en direction de la voix de Simon :

— Si le couteau t'attrape, j'ai une maudite bonne excuse, je suis aveugle.

Ariane arrache l'ustensile des mains de son beau-père.

Clément s'effondre en larmes. C'est la première fois que Simon voit pleurer son père.

Simon remplit une valise. Il a de la difficulté à comprendre ce qui lui arrive. Il a trop mal pour en vouloir à sa famille. Est-ce que son crime est si grand qu'il devra cesser de voir ses enfants ? Il crie dans sa tête :

Est-ce un crime d'aimer ? Avoir su ! Je pouvais pas savoir dans quoi je m'embarquais. Je pouvais pas savoir que je tomberais amoureux d'un homme. Je pouvais pas savoir que mon père si moderne, si ouvert aux nouvelles idées est dans le fond un homophobe fini. Je l'ai toujours entendu dire qu'il n'était ni raciste ni sexiste. Je l'ai jamais entendu discriminer contre les gais… Ouais… mais « pas dans ma famille, pas mon fils ».

Il s'assoit sur le lit, accablé par tout ce qu'il vit. Il ne sent même pas ses larmes qui coulent. Ariane, que le silence de Simon inquiète, entre dans leur chambre. Elle se rend compte que, même si elle est blessée, coupée en deux, elle garde de la tendresse pour son mari. Elle s'assoit près de lui :

— Pauvre toi !

Simon reconnaît sa femme, celle qui a toujours su se mettre à la place des autres. Il murmure :

— Si je pouvais m'empêcher d'aimer ce gars-là, je te jure que je le ferais. J'ai essayé. Je veux pas te faire souffrir, tu sais combien je t'aime.

Comme tant de femmes, Ariane ne croit pas qu'on puisse aimer deux personnes en même temps.

— Dis pas que tu m'aimes. Si tu m'aimais…

— Je t'aime, ah oui, je t'aime.

— Tu l'aimes, lui !

— Je vous aime tous les deux.

— On peut pas tout avoir.

— On peut tout avoir, au contraire. Pourquoi pas ?

Cette fois, il dépasse les bornes, ses bornes à elle. Elle se lève et se plante devant lui :

— Me prends-tu pour une idiote ? Sachant ce que je sais, j'accepterais qu'on reste ensemble comme si de rien n'était ?

— La femme de Larry reste bien, elle.

— Il est marié ?

— Oui, et ils viennent d'avoir un bébé.

— Puis elle accepte que son mari soit gai !

— Il est pas gai, je te dis, moi non plus d'ailleurs.

— Au cégep où je vais travailler des fois, c'est la nouvelle mode. Les jeunes gais se disent bisexuels, les bis se disent *queers* ou pansexuels, je sais pas trop. Ils sont dans la fluidité sexuelle. C'est quoi, la différence ? Un homme ou un gai qui couche avec un homme, c'est un homosexuel. Avoue-le donc.

— Un homosexuel, c'est un homme qui préfère un homme, je préfère pas, j'aime autant. Je t'aime autant que j'aime Larry, plus même, puisque tu es la mère de mes enfants.

— Et être trompée par un bi, ça se peut-tu qu'on soit moins cocue ?

— Ariane, je t'en prie, je souffre assez…

— Et moi, je souffre pas ?

— Essaie de comprendre. Il y a de la place pour vous deux dans mon cœur.

— Je veux toute la place ou rien.

— Écoute, mon amour, si tu m'aimes, tu veux mon bonheur. Si tu m'aimes tant que ça…

— Je vais sacrer si t'arrêtes pas de me prendre pour une conne.

— Ou bien prends ça autrement. Je t'ai donné quinze ans de ma vie, je peux en donner quelques-unes à…

— Pas à un homme !

— Qu'est-ce que ça change ?

Décidément, ils n'arriveront jamais à s'entendre.

Ariane reste un moment sans dire un mot. Elle est secouée par les réponses de son mari.

— Je sais plus quoi dire, quoi penser. Cent fois j'ai imaginé que tu me trompais, j'ai fait des scénarios où je me battais contre une femme à armes égales. Jamais j'aurais pensé… Quel dilemme, hein ? Toi qui as jamais été bon pour prendre des décisions, tu vas être obligé de choisir entre lui et moi. Obligé.

— Force-moi pas à choisir, c'est pas correct.

— Dis-moi pas que c'est moi qui suis pas correcte. Je le prends pas.

Elle est de toute évidence fatiguée de tourner en rond. Simon lève les bras, les rabaisse en signe d'impuissance.

— J'y peux rien.

— On peut ce qu'on veut ! T'as juste à faire un choix. Lui ou nous ?

— Qui, nous ?

Pour la première fois, il a peur. Il répète :

— Qui, nous ?

— Si tu le choisis lui, tu perds moi, les enfants, puis tes parents. C'est lui ou nous. Ta famille. Choisis.

— Laisse-moi le temps.

— T'hésites à nous choisir ?

Jamais il n'a eu si peur de se tromper.

— Ariane, je peux pas choisir. Quand on choisit, on élimine.

— Tu me donneras ta réponse dans une semaine. Je veux plus te voir en attendant.

— J'aurais voulu que ça se passe autrement.

— Moi aussi.

Simon remarque en sortant de la chambre que les enfants ont fermé leurs portes. Il est anéanti.

Simon ne va pas travailler pendant trois jours. Il couche dans l'arrière-boutique du magasin et sort avant l'arrivée de Benoit. Il a tenté d'entrer en contact avec Larry, mais ce dernier ne répond plus, même chez lui. Simon erre dans le parc où ses enfants jouent au tennis trois fois par semaine pour les observer de loin. Ce jour-là, n'y tenant plus, il les approche et les invite à s'asseoir avec lui sur un banc. Il veut juste leur dire qu'il les aime, sans se justifier. Juste passer cinq minutes avec eux. Il s'ennuie tant.

Victor et Hortense sont contents de voir leur père, surtout Hortense. Pour une fillette, son papa est un héros, un modèle. Elle s'accroche à lui, le bécote, lui tourne la tête de ses petites mains pour lui parler dans les yeux. Victor est plus réservé. Il ne faudrait surtout pas que ses copains l'aperçoivent en train de se faire embrasser par son père.

Même s'il s'est promis de ne rien dire aux enfants, Simon succombe à son besoin d'être aimé d'eux, alors il s'explique :

— Ce sont des affaires d'adultes. Rien change entre vous et moi. C'est difficile à comprendre. Moi-même, je comprends pas. Je voudrais que ce soit pas arrivé... mais c'est arrivé, et je suis pris avec ce problème-là. Il faut que je le règle tout seul. Tout ce que je veux vous dire, c'est que, ce que je vis, ça change rien au fait que je suis votre père et que je vous aime, et…

Hortense l'interrompt :

— Pourquoi t'es parti, papa ?

Il est pris au dépourvu.

— Parce que maman voulait pas que je reste.

Il n'est pas content de sa réponse, mais c'est la seule qui a surgi de son cerveau : accuser l'autre pour se disculper.

Victor, qui veut prouver à son père qu'il a vieilli, lui dit :

— Écoute, p'pa, fie-toi à mon expérience. Dis à maman que tu le feras plus jamais, elle pardonne tout le temps.

— C'est pas si simple…

— J'ai demandé aux gars avec qui je joue au hockey bottine – ils ont eu un cours de sexualité eux autres à leur collège – ce qu'ils pensaient des *queers*. Ils m'ont dit que c'était *sharp*.

— Je sais même pas ce que ça veut dire, *queer*.

Victor est fier de lui montrer ses connaissances :

— *Queer*, papa, ça veut dire toute sexualité en dehors d'hétéro et homo. Moi, si t'es *queer*, c'est hot, à condition que tu restes avec maman et que ce soit comme avant, nous quatre.

Il remarque non loin du parc l'auto de sa mère, garée devant le court de tennis. Il avertit son père :

— Heille, maman !

Hortense s'agrippe au cou de son père :

— Je veux rester avec toi.

— Ça va s'arranger, je vous promets que ça va s'arranger d'une manière ou d'une autre. Allez rejoindre votre mère.

Il doit détacher de son cou chaque doigt des deux mains d'Hortense, qui pleure à chaudes larmes.

Ariane est descendue de son auto, elle marche vers Simon et le regarde avec des yeux qu'il ne lui a jamais vus, puis elle arrache leur fille du cou de son père.

— Fais plus jamais ça. Je mets la police après toi.

Simon est dépassé. Il ne reconnaît plus sa femme. Il cherche du soutien auprès de Victor, mais celui-ci baisse les yeux et suit sa mère. Simon les regarde partir et se jure de ne plus jamais, jamais revoir Larry. Mais juste à penser à lui, son corps se met à le désirer. Il y a la raison et il y a la passion, laquelle l'emportera?

Ce soir-là, Ariane, qui n'a pas décoléré, demande à son beau-père où il se cachait pour tromper sa femme.

— Ça dépendait. Si la femme était célibataire, c'était chez elle, si elle était mariée, c'était dans le *back-store*.

Elle le corrige:

— L'arrière-boutique.

— Dans mon temps, on employait des mots anglais, pas pour faire chic comme maintenant, mais par ignorance…

Elle interrompt ce qu'elle considère comme du radotage de petit vieux nationaliste:

— J'ai besoin de lui parler, puis vite.

Elle lui raconte la rencontre dans le parc.

— Je fais tout pour garder les enfants en dehors de nos histoires, et lui, il fait pleurer Hortense, puis là, mon fils prend pour lui.

— Tu veux aller le rencontrer, vas-y. Mais pas pour l'engueuler, pour essayer de vous entendre sur le divorce.

— Je veux pas divorcer !

Ariane est en furie. Clément continue :

— Crois-en mon expérience. J'ai pas voulu divorcer, puis ma femme m'a fait payer chaque minute de plaisir que j'ai pris avec les autres femmes.

— Je veux pas divorcer, je veux qu'il quitte l'écœurant qui l'a fait tomber en amour avec lui.

— Aucune femme m'a fait tomber en amour avec elle. J'étais responsable de mes actes. Je savais ce que je faisais. Je me rends compte maintenant que j'avais un vide en moi que je pensais combler avec des amours à la chaîne, j'aurais dû chercher plutôt pourquoi je ressentais ce vide-là. Ça remonte à l'enfance… Tout remonte à l'enfance. On se sort jamais vraiment de son enfance. On est pas vite, les humains, on prend des années à comprendre qui on est, pourquoi on est infidèles. Moi, je pensais que l'infidélité, c'était une question de sexe. Ben non, ma fille, c'est une question de besoin d'être aimé. Je pensais que c'était un trait de personnalité, que ça pouvait régler mon problème, d'avoir des maîtresses. Ben non, on peut pas régler un problème en en créant un autre. « Faute avouée est à moitié pardonnée. » C'est faux, archifaux, ça aussi. L'infidélité – comment t'expliquer ça ? –, ça arrive quand il y a un déséquilibre dans le couple. Si les deux mettent pas de l'eau dans leur vin pour rétablir l'équilibre, c'est la séparation. Il reste qu'un contrat de fidélité, c'est un contrat de confiance mutuelle. Quand la confiance existe pus…

Ariane ne prête pas trop attention aux propos de son beau-père. Elle suit son idée.

— Vous pensez qu'il fricote dans l'arrière-boutique ?
— C'est moins cher que le motel.
Ariane est décidée. Elle veut parler à son mari sans la présence des enfants, rencontrer « l'autre » et le convaincre de lui laisser Simon. Elle, si douce et si peu combative, se révèle être un soldat de sa famille.

Quelques minutes plus tard, peu avant vingt heures, elle donne des coups dans la porte de l'arrière-boutique. Simon, qui lisait dans son sac de couchage, se lève, met de l'ordre dans ses cheveux, vérifie si son haleine est fraîche et va ouvrir en tenue d'Adam, certain d'avoir reconnu le toc-toc de Larry. Il ouvre. C'est sa femme.

Il cherche désespérément quelque chose pour couvrir son sexe. Il se drape les parties génitales dans un linge à vaisselle. Ariane est étonnée de le trouver seul :

— Où est-il ? Je veux lui parler.
— Il est pas là, et je l'ai pas vu depuis des jours.
— Vous avez cassé ?
Il y a tout l'espoir du monde dans cette phrase.
— Non, il m'a pas donné de nouvelles…
— Puis tu me fais poireauter pour lui ?
— Je te ferai remarquer que c'est toi qui m'as mis dehors.
— C'est toi qui m'as trompée.
Ils sont bloqués par des reproches réciproques. Ils n'avancent pas, ils piétinent.
Impuissante, Ariane lui lance :
— Tu m'obliges à demander le divorce.
— Moi je veux pas divorcer.
— Oui, c'est toi…

Au lieu de s'écouter, ils s'accusent mutuellement et ça dure jusqu'à ce qu'ils tombent d'épuisement. Ariane, pas plus avancée, finit par quitter l'arrière-boutique et décide de se rendre directement chez Larry.

Rendue à Montréal, Ariane, tremblante, frappe à la porte chez Larry. Nathalie ouvre, le bébé dans les bras.

— Je mets Claude dans son lit, on va pouvoir parler. Entre.

Nathalie fait signe à Ariane de s'installer au salon et disparaît. Ariane examine la pièce, s'attarde à la table de travail, dans un coin, et y lit sur un dossier « Identité sexuelle ». Elle feuillette le document. Lorsque Nathalie la rejoint, elle lui demande :

— C'est toi qui écris ça ? Je te tutoie, t'es tellement jeune.

— J'ai quand même vingt-quatre ans.

— Je te vouvoie ?

— Non. Assieds-toi.

— Merci. T'as de la chance de comprendre ce qui se passe.

— J'essaie, c'est pour ça que j'ai choisi sexologie, pour comprendre, mais peut-être qu'y a rien à comprendre. N'empêche, mon mémoire de maîtrise porte sur l'identité sexuelle parce que je cherchais à savoir qui je suis. J'ai déjà vécu avec une femme, là je vis avec un bi. C'est compliqué. Ça fait que je veux comprendre, et comprendre, ça veut pas dire accepter. Moi, je m'accepte pas. J'étais bi, je me pensais bi, mais là je suis hétéro, mariée, maman et fidèle. Est-ce que je suis encore bi ? Est-ce que c'est inné ou acquis ? Est-ce que c'est un choix ? Est-ce que ça change avec les années ? Moi je voudrais passer ma vie avec Lawrence, mais lui il me trompe avec ton mari. Est-ce plus facile être trompée avec un homme qu'avec une femme ? C'est tellement complexe. On voudrait que ce soit simple. C'était simple quand la religion nous faisait croire que la visée ultime de la sexualité, c'était la reproduction…

— Mon Simon est homosexuel ou quoi ?

Cette question trahit une grande douleur.

— Il est bi. Il a toi et mon mari.

— Être bi, c'est une bonne excuse pour pas respecter ses engagements, pour courailler, non ?

— C'est une forme de sexualité. Il existe des humains qui arrivent pas à choisir entre être hétéro et homo, alors ils sont bis, question d'hormones, de gènes ou de choix, ou les trois.

— Peut-être, mais il est très périlleux de vivre dans l'indécision. Ça te dérange pas que ton mari te trompe avec un homme ?

— Ça me dérange pas trop pour autant que Lawrence l'aime pas. Il aime pas ton mari, j'en suis certaine, et il a des aventures ici et là. Il y a des bis qui ont deux aventures dans toute leur vie, une avec un homme, l'autre avec une femme. Il y en a qui ont des tas d'aventures. Il y a autant de sortes de bis qu'il y a de sortes d'hétéros. Personne est pareil.

— Moi, je veux pas que mon mari aime une autre personne que moi.

— Mon mari a besoin de quelque chose que je peux pas lui apporter. Ça m'enlève quoi, qu'il fasse du sexe avec quelqu'un d'autre ? C'est que du sexe.

— J'arrive pas à être raisonnable.

— Moi non plus !

Nathalie a admis sa faiblesse d'une toute petite voix. La jeune étudiante forte devient soudain une fillette qui a besoin d'une maman. Son joli minois se tord dans une grimace d'avant les pleurs. Puis elle se cale dans les bras d'Ariane, qui oublie sa détresse pour consoler celle de Nathalie.

Le bébé crie et Nathalie va le chercher, puis lui donne le sein, ce qui apaise les deux femmes. Remise de ses émotions, Nathalie est heureuse de faire part de ses connaissances à Ariane :

— Ce que mes recherches m'apprennent, c'est que de tout temps la bisexualité a existé, il y a eu autant de sexualités que d'individus. Jusqu'à ce jour, ç'a été un tel tabou ! Il a fallu que Madonna embrasse Britney Spears, qu'une chanteuse québécoise se dise *queer* pour que les gens se questionnent sur le phénomène, soit pour le critiquer, soit pour le nier ou le copier.

— Ce que j'entends moi sur les bis, c'est que c'est un choix pervers.

— Aux dernières nouvelles, on naît bi, on le devient pas.

— Ce qui veut dire que mon mari redeviendra jamais hétéro comme avant ?

— Il est bi, c'est un fait.

— C'est un obsédé sexuel alors ?

— C'est pas parce que t'aime le vin que t'es alcoolique.

— Les bis sont forcément infidèles ?

— Il y a des loyaux et des pas loyaux partout.

— Vous êtes attirés par tout ce qui bouge.

— Ah ça, c'est pas vrai. On a des valeurs.

— Vous profitez des deux sexes en même temps.

— Là encore, c'est faux, la plupart des bis vivent une relation à la fois. Ce que vivent nos hommes, c'est rare.

— Les bis sont des as des trips à trois, que je me suis laissé dire.

— C'est une exception.

— C'est une mode. Ça, j'ai entendu ça.

— C'est pas un style de vie nouveau. C'est une façon d'être et ça date du début du monde.

— Et le pire que j'ai entendu, c'est que ce sont eux qui donnent le sida aux femmes.

Nathalie offre l'autre sein au bébé. Ariane sent qu'elle lui a porté un coup droit au cœur.

— Il y a chez les bis comme chez les hétéros des gens qui se protègent pas. J'ai pas le sida, le bébé non plus.

Ariane, qui a enfin formulé la peur qui la ronge, regarde sa montre, se lève, embrasse spontanément Nathalie, jette un regard attendri sur l'enfant et sort presque en courant.

Nathalie caresse la joue de son fils en espérant elle aussi que son mari n'oubliera jamais lors de ses aventures de mettre un condom.

Clément est triste. Il se berce dans la cuisine de sa belle-fille pendant que celle-ci prépare une tarte aux poireaux.

— C'est le mets favori de Simon ! Combien de repas heureux ont eu lieu autour d'une tarte aux poireaux ? S'il vient souper, on va retrouver…

Sa voix s'étrangle.

— C'est vrai que c'est bon, même si les poireaux en juillet, c'est pas donné. En septembre…

Il se tait. Ariane tranche les poireaux en fines lamelles. Ils n'ont pas vu Simon depuis plusieurs jours. Elle voudrait en discuter avec son beau-père, mais il évite le sujet. Ils restent sans parler, puis soudain Clément avance :

— Orgueilleux comme il est… si je fais pas les premiers pas, c'est pas lui qui va les faire. Moi, je suis le père, c'est pas à moi de les faire.

Clément est de ceux qui croient que « si on en parle pas, ça existe pas », il a des opinions très tranchées, c'est noir ou c'est blanc, et selon lui « les enfants répondent pas aux parents, c'est impoli… ».

Visiblement, l'indécision, c'est de famille, pense Ariane. Elle répond :

— Moi, je vais les faire, les premiers pas. Pas pour moi, mais pour les enfants.

— Laisse-le réfléchir, il t'a demandé plus de temps pour réfléchir, et le temps arrange les choses.

Ces idées reçues enragent Ariane :

— Je crois pas ça, moi. C'est nous qui réglons nos affaires. C'est pas parce que ça se dit depuis toujours que c'est vrai, Clément. Le temps arrange pas les choses, c'est nous qui les arrangeons au fil du temps. Moi, je ferai pas comme Gisèle et vous puis traîner un mauvais mariage pendant des années sous prétexte que les choses s'arrangent toutes seules avec le temps. Votre femme vous a laissé parce que vous avez jamais réglé votre problème d'infidélité avec elle. Vous avez attendu que le temps fasse son œuvre. Les femmes se tannent vite de nos jours. Elles endurent plus ça, le silence. Ce fameux silence. Votre maudit silence ! Simon est bisexuel, bon, qu'est-ce que je deviens, moi ? Qu'est-ce que les enfants deviennent ? Qu'est-ce que je fais ? On va en parler, Simon puis moi, en discuter, en venir à un arrangement raisonnable. Un malheur nous est tombé dessus, faut s'en sortir le mieux possible, lui, moi, les enfants, vous et Gisèle, la jeune femme de Larry et le bébé. S'en sortir sans trop de dégâts.

Pendant qu'Ariane dépose dans le four sa grande tarte aux poireaux, Clément en profite pour fuir le conflit. Par la fenêtre de la cuisine, Ariane le voit marcher avec sa nouvelle canne blanche vers sa maisonnette.

Clément, perturbé par les paroles de sa belle-fille, prend un taxi pour se rendre à son magasin. C'est la première fois qu'il y retourne en un an. Benoit est estomaqué de le voir ouvrir la porte et se précipite pour l'aider :

— De la grande visite !

— Va, va, t'occupe pas de moi. Laisse-moi sentir le magasin.

— Ça sent pas bon ?

— Ça sent l'été, les vacances, la mer, le soleil, l'escalade, la pêche. Ça me manque, cette odeur-là, tu peux pas savoir...

Il tâte de sa canne blanche les articles de sport, les reconnaît, les énumère. Benoit est ébahi. Soudain, Clément s'arrête :

— C'est quoi ça ?

— Euh... une tente.

— Ça, une tente ?

— C'est parce qu'elle est suédoise.

— On en fait pas des assez bonnes ? Faut les importer du diable vauvert ?

Le commis émet un petit rire qui veut tout dire.

Clément fait le lien :

— Tu vas me sortir ça d'ici. Les tentes de Larry, et surtout Larry, qu'il remette plus jamais les pieds dans mon magasin !

— C'est moi qui ai poussé votre garçon à acheter les tentes. C'est de ma faute. Simon y est pour rien.

— Arrête de le couvrir ! Où c'est qu'il est, mon garçon, justement, que j'y parle dans le nez ?

— Euh... Venez, j'ai quelque chose à vous montrer.

Simon n'est pas rentré depuis deux jours, alors Benoit prend le bras de Clément et l'emmène vers l'arrière-boutique. Il espère que la machine à café va lui changer les idées.

— Je vais vous faire un vrai bon café.

— Je laisse le bateau et il coule ! Pas de capitaine ! T'as une cafetière ?

— Une machine à café.

— Pour quoi faire?

— Des cappuccinos, de l'espresso, comme dans les grands restaurants.

L'astuce de Benoit fonctionne. Clément fulmine:

— Du café astheure, pourquoi pas un restaurant tant qu'à faire?

— Le café, ça aussi c'est de ma faute. Ça fait que si vous avez besoin d'engueuler quelqu'un, défoulez-vous sur moi. Simon souffre assez comme ça.

— Lâche-moi avec la souffrance de mon fils. Il souffre pas, il a du fun…

— Vous décidez ça à sa place. Moi je sais qu'il souffre.

— Je le connais plus que toi, je suis son père.

Par chance, Clément ne voit pas le regard sceptique de son commis.

— Goûtez-y, du bien bon café. On en offre à nos gros clients. Faut faire une différence avec la concurrence…

— Je suis pas venu prendre un café, j'en ai pris un à matin à la maison. Je viens te dire qu'étant donné la conduite de mon garçon je te nomme gérant à sa place avec le salaire que je vais lui enlever. Je le *flushe*. Je te mets à sa place. Benoit, t'as toujours été le garçon que j'aurais voulu avoir, le mien, c'est une lavette. Tu commences tout de suite.

L'offre est alléchante, mais Benoit est un homme honnête:

— Votre garçon reste gérant ou c'est moi qui m'en vas.

— Je l'ai renié, puis je l'ai mis dehors.

— Vous avez juste à vous excuser.

— De quoi?

— De pas l'aimer.

— Tu me donneras pas de leçon d'amour paternel.

— Ça fait combien d'années que vous lui avez montré de l'amour ?

— Je lui ai laissé mon magasin, baptême !

— Tout en le menaçant : « Si tu fais pas comme je te dis, dehors ! »

— Je l'ai élevé...

— Abaissé, pas élevé... Je vous ai jamais entendu lui faire un compliment. Jamais.

— J'en ai jamais eu de compliments, moi, puis je suis pas mort.

— Non, mais quel homme extraordinaire vous auriez été si on vous avait complimenté ! Quand t'as pas été aimé à ta faim par ton père, tu cherches ça toute ta vie. Je suis pas un expert, mais aimer, d'après moi, c'est rechercher ce qui te manque. Simon, il a trouvé un père en Larry. Vous aviez vos maîtresses, c'était peut-être une mère que vous cherchiez...

— Là, tu vas m'arrêter ça, ces folies-là. Où c'est qu'il est, mon fils ?

— C'est pas un criminel, Simon, c'est un gars qui a une crise d'identité. Je le sais pas, où il est, et même si je le savais, je vous le dirais pas.

Clément est ébranlé dans ses croyances. Il est vieux jeu, mais pas idiot.

— Je lui ai pas fait de compliments parce que j'avais peur que ça lui enfle la tête puis qu'il se prenne pour un autre, et qu'il passe par-dessus mon autorité. Puis... c'était pas la mode, les compliments...

— Ben non. Il se serait senti aimé...

Clément n'a pas l'habitude de se faire remettre en question.

— Tu penses qu'il se cherche un père avec ce gars-là ?

— Ça se peut, je le sais pas, mais moi, ti-cul, avant que vous me donniez la job de nettoyer le magasin, j'ai fait de la prostitution. Ben oui, moi ! Chaque homme qui me touchait, j'espérais qu'il devienne le père que j'ai pas eu...

Clément ne veut pas entendre l'histoire de Benoit :

— J'ai assez d'épreuves sans que tu te mettes à me raconter des affaires que je veux pas entendre. Qu'est-ce que tu veux ? Ma fin ?

— Vous réveiller ! C'est pas parce que Simon a une expérience avec un homme que ça en fait un mauvais fils, un mauvais mari, un mauvais père, un mauvais gérant. Ça fait un homme qui cherche ce qui lui manque, c'est tout.

— C'est de ma faute, c'est ça que tu dis ?

— Simon, c'est un bon garçon...

— Je le sais.

— Eh ben, dites-y, crisse !

Clément ne sait plus quelle attitude adopter. Son autorité s'effrite sous les coups répétés de ses proches.

— Y est-tu fort, ton café ? Euh... si tu vois Simon, dis-lui qu'il reste gérant à condition qu'il change rien à la vocation du magasin, puis qu'il se conduise comme du monde, puis que...

— Sans conditions !

— Qu'est-ce que tu veux que je devienne ? Bi, moi aussi ? Puis qu'on ouvre un magasin de bis dans un quartier de bis, puis que je me promène avec un tutu à la fête de la fierté bi ?

— Bonne idée !

— Ris-tu de moi ?

— Oui. Je vous fais un cappuccino ?

— Envoye donc ! Je veux pas mourir ancien…

Benoit lui prend la main, la colle sur sa joue. Il a choisi depuis longtemps Clément comme père.

— Arrête ça !

***

Simon campe dans son auto de l'autre côté de la rue où Larry vit avec sa femme et son bébé. Il espère le voir sortir de l'immeuble à condos. Il est prêt à tout pour l'apercevoir un instant. Il a besoin de ses yeux sur lui pour vivre.

À seize heures, il n'en peut plus d'attendre, traverse la rue et, au pas de course, grimpe les étages, l'ascenseur n'étant pas assez vite à son goût, et sonne chez Larry.

Nathalie entrouvre la porte.

— Il est en voyage.

— Où ?

— Je le sais pas.

Elle le prend en pitié, il a l'air si malheureux :

— Il est parti faire de l'escalade, je pense.

— Son auto est devant l'immeuble.

— Il est parti avec un copain.

— Qui ?

— Je le sais pas.

— Il revient quand ?

— Je le sais pas. Je regrette…

Elle veut mettre fin à l'échange. Simon insiste :

— Je peux l'attendre ici.

— Non !

— Je vais prendre soin du bébé, tu vas pouvoir travailler à ton mémoire.

Nathalie n'arrive pas à refermer la porte. Simon pousse vraiment de toutes ses forces pour l'en empêcher. Elle panique :

— Lawrence !

D'un coup d'épaule, Simon ouvre la porte, pénètre dans le vestibule.

Larry, en pyjama et t-shirt, arrive à la rescousse de Nathalie, empoigne Simon :

— Es-tu devenu fou ?

— Oui, de toi !

Larry ne veut pas d'esclandre, les murs sont en carton, alors il tente de le raisonner :

— Écoute, mon vieux, on arrive pas chez le monde comme ça.

Il le pousse vers la sortie comme on chasse un vendeur qui s'incruste.

— J'ai besoin de toi, Larry.

— Ben non, nous deux, c'est un coup de sexe, point final.

— Tu me tends une drogue, moi le beau cave je tombe dedans, puis après tu veux plus m'en donner alors que je suis accro ! C'est cruel. Tu peux pas me faire ça !

— Calme-toi sinon je vais être obligé d'appeler la police. Violation de domicile. Ton père aimera pas ça.

La passion aveugle Simon. Le fait dérailler complètement :

— Mais je t'ai dans la peau ! Je mange pas, je me lave pas. Je suis obsédé par toi. Je meurs sans ton regard sur moi. Quand je suis avec toi, je suis heureux. Tu me valorises. Tu me donnes la vie. Je me sens beau, puissant, mieux, tu me fais aimer l'humanité entière.

— Tu veux juste baiser avec moi, arrête tes sparages.

— Je fais la promesse de plus jamais te toucher, mais laisse-moi vivre dans ton ombre.

Larry est ému.

Mais c'est de l'amour, cette folie furieuse.

Jusqu'à aujourd'hui, il avait réservé l'amour à Nathalie et le sexe aux hommes de passage. Jamais il n'avait connu d'hommes qui étaient tombés follement amoureux de lui. C'est la première fois. Il est flatté.

Je suis jeune et j'ai le droit de tout tenter, même l'amour avec un homme.

Il lui murmure à l'oreille :

— Va-t'en et on passe la nuit ensemble au magasin.

Simon se demande s'il a bien compris.

— Nathalie ? demande-t-il.

— Je suis passé maître dans l'art des excuses.

— Tu me jures que tu vas venir.

— Je te le jure sur… toi.

— Je suis fou de toi.

— Je sais. Va… Chut…

Et Larry indique la chambre où se trouvent Nathalie et le bébé. Simon sort doucement. Il pourrait voler tant son cœur est léger.

Larry regarde l'heure et soupire. Il se regarde dans le long miroir du vestibule, se sourit. Il est aimé d'un homme et d'une femme. En même temps. Il a gagné le *jackpot* ! Il peut tout avoir, tout. Et il a tout. Il flotte sur un nuage. Un peu plus et il se prendrait pour un surhomme. Son ego est tellement gonflé qu'il ne voit pas Nathalie qui sort de la chambre, un doigt sur la bouche. Elle s'étend sur le sofa, pas peignée, pas maquillée, en jaquette d'allaitement, pieds nus, une épave.

— Je savais pas que c'était si prenant, un bébé, je savais pas que je serais épuisée d'allaiter. Je savais pas que je serais seule à m'en occuper. Je savais pas que je pourrais pas endurer que tes *fucking friends* viennent te relancer dans notre intimité pendant que j'allaite mon bébé.

Il prend sa voix suave, séductrice :

— Tu vas comprendre, toi qui comprends tout...

— Il y a une différence entre comprendre des concepts et des idées et les vivre. Des fois, Lawrence, dans la vie, il faut faire des choix.

— Mais toi-même, t'es bi.

— Moi, avant le bébé, je voulais tout, comme dans la chanson d'Ariane Moffatt. Là, je suis mère, et ma priorité c'est pas la fluidité sexuelle, c'est de materner. Puis toi, ta priorité, c'est de paterner, pas de t'envoyer en l'air avec des hommes.

— Moi, les bébés naissants...

— C'est pas un bébé naissant, c'est ton enfant ! Notre enfant qu'on a fait à deux.

— C'est toi qui le voulais... surtout.

— Toi aussi tu le voulais...

— Oui, mais je savais pas que ça braillait autant.

Nathalie sursaute comme s'il l'avait giflée.

— On s'est juré de se dire la vérité, je te la dis, c'est tout. Le bébé me laisse froid.

— Toi, tu me laisses froide. Oui, j'étais d'accord pour qu'on ait un mariage ouvert, mais pas à ce point-là, que ton amant vienne te relancer à la maison, que sa femme se présente ici...

— Mais je l'aime pas !

— T'aimes qu'il t'aime, c'est pareil. Sais-tu ce que t'as, Lawrence ? T'as la queue à la place du cœur.

— Je pensais qu'on avait réglé ça en se mariant.

— Je l'avais pas vécu.

— Je peux pas me mettre dans la tête qu'on puisse aimer un seul sexe, la preuve, dans les prisons… Puis je suis pas tout seul, j'en connais plein.

— T'as beau te justifier…

— J'ai pas à me justifier, même si je voulais pas être bisexuel, je le serais. C'est inné. C'est ni une préférence ni une orientation, c'est mon identité. Je suis comme ça.

Nathalie, troublée, réfléchit. Elle dit doucement :

— Quand j'étais au cégep, c'était la tendance de s'embrasser entre filles pour exciter les gars. Il paraît que c'est leur gros fantasme, faire l'amour à deux filles en même temps. Puis les filles, entre nous, on a l'habitude de se toucher, de partager le même lit, de se caresser. Y a pas un gros chemin à faire pour expérimenter jusqu'au bout… Puis souvent, comme ça m'est arrivé, on rencontre le gars qui met fin à cette expérience faite par curiosité. À moins d'être lesbienne. Je le suis pas. Moi, je suis tombée amoureuse de toi, j'ai tout accepté pour que tu restes avec moi, même les trips à trois, deux gars une fille, où j'étais délaissée, même l'échangisme où je te donnais la permission de coucher avec des hommes… Mais là qu'on a un enfant… je le sais plus si c'est ça que je veux, un mariage ouvert, quand il est ouvert juste d'un bord, le tien.

— Toi, tu peux arrêter de coucher avec d'autres si ça te tente plus, moi je suis pas rendu là.

Larry prend un blouson de cuir sur le crochet du vestibule.

— On parle, là, tu sors pas !

— Je reviens demain matin ! Je te dis pas où je vais. Je veux pas de reproches.

— Si tu vas rejoindre ton amant, demain, tu risques de plus me trouver là.

***

Il fait noir dans l'arrière-boutique. Une lueur venant des toilettes contribue à créer une atmosphère dramatique. Ils se sont rhabillés. Ils boivent des bières que Simon a achetées et grignotent des chips à même le sac géant. Larry voudrait bien aller retrouver Nathalie…

— Pourquoi ta femme s'est fâchée ?

— Jalousie, j'imagine. Elle qui étudie en sexologie, elle devrait comprendre que ma relation avec toi c'est du sport. Je fais du sport avec toi, ça devrait pas la vexer.

Simon n'a retenu que le mot « sport » et ça le blesse :

— Nous deux, c'est plus que du sport !

Larry ne veut pas l'entendre et poursuit sa pensée :

— On était libres chacun de son côté d'avoir des aventures, on avait même signé un contrat. Qu'est-ce qui lui prend ?

Simon veut prouver à son amoureux qu'il en sait plus que lui sur la paternité :

— C'est l'arrivée du bébé. Faut croire que ça change pas juste les habitudes de vie, mais les principes aussi.

— Pour ce qui se passe entre toi et moi, y a vraiment pas de quoi grimper dans les rideaux.

Simon est piqué par l'insistance de Larry à lui faire sentir qu'il ne s'agit pas d'amour entre eux, mais de sexe.

— Merci !

— Quoi, c'est vrai ! T'es pas important pour moi !

— Je sais !

Il le reçoit comme un coup de couteau en plein cœur.

— Ç'a été entendu entre toi puis moi, pas d'attaches. Si personne respecte la parole donnée, où est-ce qu'on s'en va?

Simon devient soudain solennel:

— Larry, je suis qui pour toi, je suis quoi?

— Mon amant.

— Qu'est-ce que c'est pour toi, un amant?

— Veux-tu que je te fasse un dessin?

— Mais l'amour?

Il a crié le mot comme on crie « Au secours ».

— Heille! Lâche-moi, toi aussi, avec l'amour! L'amour, qu'est-ce que c'est? As-tu une définition de l'amour? Je suis fatigué d'entendre ce mot-là servi à toutes les sauces. Si tu veux qu'on couche ensemble encore, prononce plus jamais ce mot-là, ni au présent ni au futur. J'haïs ce mot-là!

— Moi, j'y crois.

— Pourquoi tu penses que j'aime baiser avec des gars? C'est qu'y a pas de « Je t'aime » entre gars. C'est simple! Si tu veux me revoir, ferme ta gueule.

Simon se lève pour que son amant comprenne bien qu'il le met dehors:

— Je vais te dire ce que je pense de toi, Larry. Avec ton air de pas choisir, tu prends le meilleur des femmes et des hommes, tu fais en sorte qu'on t'aime, puis après tu nous glisses du cœur comme un savon mouillé. C'est tout ce que t'es, un savon mouillé.

— C'est agréable d'être un savon mouillé, ça se promène sur les corps, d'hommes ou de femmes...

— Tu veux pas que je prononce le verbe « aimer », je le conjugue pour la dernière fois. T'aimes personne, même pas toi.

Un silence de mort.

— Je sais.

Le grand Larry, l'arrogant, le super vendeur, charmeur, est maintenant tout petit, et c'est le dos courbé qu'il annonce :

— Ma femme dit qu'elle va me laisser…

Clément est étendu dans le La-Z-Boy chez Simon et Ariane. Il semble dormir, mais sait-on jamais avec un aveugle… Une main douce lui caresse le bras. Il ne sursaute pas.

— C'est toi, ma belle enfant ?

— Oui.

— Il est quelle heure ?

— Minuit.

— Rien que minuit. C'est long, la nuit toute la journée. Toi, la nuit, tu penses que tu vois rien, mais tu vois la noirceur, tes yeux s'habituent à la noirceur. Quand t'as perdu la vue, tu vois rien, rien, rien que tes pensées qui se promènent dans ta tête. Si au moins j'avais de belles pensées, je pourrais me promener dans mes pensées comme dans un jardin de fleurs. J'en cueille une, deux, trois, je me fais un bouquet, je les sens, elles sentent bon. Ben non. Mon jardin est rempli de chardons puis de craquias puis de piquants. Juste de la mauvaise herbe.

Ariane est venue chercher de l'aide :

— Je voudrais juste savoir si vous avez l'intention…

— J'ai pensé bien faire avec mon fils. J'ai pas pensé une minute qu'il pouvait être différent de moi. Je voulais qu'il soit moi, en mieux. Je voulais en faire un homme, mais là je me demande c'est quoi, être un homme?

Ariane décide de lui servir la même médecine et se met à parler d'elle:

— Je me suis mariée avec Simon pour le meilleur et pour le pire. Le pire, dans ma tête, c'était qu'il ait le cancer ou un accident d'automobile grave et que je sois obligée d'en prendre soin, de l'aimer malgré un handicap physique. Je me sentais capable de faire ça. Mais aimer son mari quand il couche avec quelqu'un d'autre, avec un homme…

Aussitôt qu'elle fait une courte pause pour réfléchir, son beau-père en profite:

— C'est une erreur. C'est une phase. S'il lui reste deux cennes de jarnigoine, il va retomber sur ses pattes. Moi, j'ai eu des maîtresses, mais je revenais toujours à la maison…

— Je suis fâchée contre lui. Très fâchée. Je suis triste aussi, infiniment triste. Des fois je l'haïs, des fois je l'aime, mais la plupart du temps je l'aime, et c'est d'autant plus douloureux que j'aimerais le détester.

— Moi aussi, je l'aime.

Ils se tiennent la main sans parler.

Ariane peut enfin placer sa demande d'aide:

— Qu'est-ce que je fais? Je sais pas quoi faire.

— Je vais te dire un secret: plus je vieillis, plus je sais de choses, moins je sais quoi faire.

— Dans le fond, on est comme lui, on arrive pas à se brancher.

Ils rient jaune.

Victor descend l'escalier. Sa mère s'inquiète:

— Il est minuit! Tu vas avoir de la misère à te lever demain.

— Je sais, mais je suis pas capable de dormir.

— Ta sœur ? demande Clément, soucieux à son tour.

— Je suis pas le gardien de ma sœur !

— Va te recoucher, mon trésor.

— Je suis pas capable de dormir, maman.

Clément se lève, il se pend à sa canne blanche comme un noyé à sa planche de salut.

— Bon, je vais me coucher dans mon lit chez nous. À demain.

— Je vais aller vous reconduire.

— J'ai besoin de personne, j'ai ma canne. Victor, mon garçon ?

— Oui, grand-papa ?

— J'aimerais ça avoir un petit bec. Pas de becs, la vie est longue.

Victor lui tend la main :

— Grand-papa, je suis un gars, les gars, ça se minouche pas, que tu m'as dit.

— Je sais ben, mais j'aimerais te donner tous les becs que j'ai pas donnés à ton père. Je me suis trompé. Je peux-tu me reprendre avec toi ? Donne moi une chance.

Victor n'en revient pas. Il embrasse son grand-père, le serre dans ses bras. Clément pleure, et Victor pleure de le voir pleurer, puis Ariane, dont les larmes n'étaient pas bien loin, se laisse aller aussi.

Clément est le premier à se détacher et à fuir ce moment d'émotion. Resté seul avec sa mère, Victor s'essuie les joues avec son t-shirt.

— Maintenant, dodo, Victor.

— Faut qu'on se parle.

Elle reconnaît chez son fils le ton sérieux de son mari.

— C'est pas le temps…

— Écoute-moi, maman. Je t'écoute, moi, quand il faut que tu me parles.

Elle qui était dans l'escalier menant aux chambres revient s'asseoir et regarde son fils dans les yeux.

— Moi, ce que je veux, c'est clair. C'est un père puis une mère qui s'aiment, mais si vous vous aimez plus, je veux être sûr que vous allez continuer à m'aimer.

— Mais oui, c'est certain.

— C'est pas si certain que ça. Déjà, vous nous parlez plus parce que vous vous parlez plus. Nous autres, on a peur que vous nous abandonniez. Vous êtes capables de vous laisser, vous êtes capables de nous laisser. On le sait pas. On subit les conséquences de… on sait pas quoi. Qu'est-ce qui va se passer entre vous ?

Ariane comprend très bien l'angoisse de ses enfants, mais peut-elle leur dévoiler tous les détails de leurs problèmes de couple ? Elle ne peut que rassurer son fils sur son amour et sur l'amour de son père. Elle est chavirée. Est-il possible de vivre des drames de couple sans que les enfants en souffrent ? Elle se couche avec cette question à laquelle elle ne trouve aucune réponse.

***

Les quatorze ans de Victor lui sortent par les pores de la peau, bouchés par trop de sébum, ce qui lui fait un teint bosselé de taches roses et rouges. À le voir marcher, on dirait un chimpanzé. Ses bras semblent traîner par terre tant ils sont longs. Il a grandi d'un coup et il marche mou. Bébé attrayant, il est en passe de devenir beau jeune homme, mais n'y est pas encore arrivé ; un barbouillage avant le chef-d'œuvre. Il se sent exclu de sa gang de gars et se tient avec une fille, juste une, Tia, qui elle aussi est dans sa période de transition. Elle est amoureuse de Victor, qui se laisse aimer par elle, faute de mieux. Ils se parlent peu, mais s'envoient des textos et des courriels enflammés.

Aujourd'hui, Victor attend Tia à la sortie de son cours de volley-ball. Il lui a donné rendez-vous dans leur coin préféré du parc pour lui parler de ses parents. Comme Tia est une enfant de parents divorcés, elle saura peut-être l'aider à comprendre ce qui se passe.

Tia est à peine arrivée qu'elle lui sort:

— Ma mère l'a su de sa cousine qui a vu ton père en train d'embrasser un homme dans son auto, en pleine ruelle.

— Ton père, il a une maîtresse, mon père a un amant.

— C'est pas la même chose.

— C'est quoi la différence?

Tia ne sait que répondre. Elle reprend:

— En tout cas, ma mère veut plus que tu sois mon chum.

— À cause?

Tia hésite:

— Elle a dit que tu peux me passer le sida.

Victor est vraiment étonné:

— Elle a quel âge, ta mère?

— Trente-huit.

— Elle parle comme mon grand-père. J'ai pas le sida! Puis comment je te le donnerais? On fait juste se frencher!

— Oui, mais tu peux un jour… on sait pas…

— *Never!*

Le «*Never*» de Victor met fin abruptement à l'histoire d'amour que Tia avait imaginée. Elle est blessée et elle cherche comment le blesser à son tour:

— De toute façon, moi je sors pas avec un gars dont le père est aux hommes, c'est peut-être de famille.

— Mon père est pas aux hommes, ta mère est juste une menteuse.

— Ma mère est pas une menteuse.

Elle s'en va, peu fière d'être obligée de respecter les ordres de sa mère et de casser avec le seul garçon qui s'intéresse à elle. Victor se sent encore plus seul. Il est malheureux. Il traîne dans le parc. La faim le fait revenir chez lui en soirée. La maison est vide. Une note sur la table de la salle à manger lui indique qu'Hortense se fait garder par son grand-père et que sa mère est partie souper au restaurant avec une collègue.

Victor, heureux d'être seul dans la maison, dévalise le réfrigérateur puis, repu, s'installe devant son ordi pour regarder enfin les sites pornos vantés par ses camarades de classe.

Sa mère le surprend deux heures plus tard, endormi devant l'ordinateur. Elle le regarde avec tendresse.

Pauvre chéri, c'est dur pour lui aussi, ce qu'on vit.

— Victor ! Il est dix heures, va te coucher dans ton lit.

Elle s'approche de lui, l'embrasse.

— Maman !

Il est soudain très réveillé, comme si le pas qu'il avait franchi en regardant de la porno lui donnait le droit de s'adresser à sa mère comme un vrai homme :

— Papa, vas-tu venir demain ?

— Je le sais pas…

Il lui prend le bras doucement, mais fermement.

— Je veux le voir.

— Tu me fais mal !

— Oh, excuse.

— Qu'est-ce que tu lui veux?

— Je veux le voir.

— Écoute, c'est difficile pour moi que papa vienne ici, plus tard peut-être.

— Il est au magasin?

— Non, il réfléchit, ç'a l'air…

— J'ai besoin de lui parler. Sérieux.

— Moi ça fait pareil.

— Non, ça fait pas pareil, lui c'est mon père. Si tu me dis pas où il est, je vais le trouver moi-même.

Une image tirée d'un livre sur les adolescents vient à Ariane. Dans *Le Complexe du homard*, on compare les adolescents aux homards qui perdent leur carapace pour en trouver une autre. Sans carapace, ils sont vulnérables, fragiles.

— J'ai su par Benoit qu'il a pris une chambre à Montréal…

— Où?

— Victor, mêle-toi pas de ça. Les histoires entre ton père puis moi, ça te regarde pas.

— Ben non, je suis juste votre fils!

Il la pousse hors de sa chambre, claque la porte, se jette sur son lit et se met à pleurer comme un enfant.

***

La chambre d'hôtel est petite, peinte en beige, elle comprend un lit fonctionnel muni de draps beiges et d'une couette rayée beige et brune, un meuble de bois brun sur lequel repose une télévision, et un fauteuil de cuir brun. Sur le mur, un paysage aux mêmes tons.

Simon fait asseoir son fils dans le fauteuil, lui prend place sur le lit.

— C'est petit.

Simon s'inquiète :

— Qui t'a donné mon adresse ?

— Maman, qui l'a obtenue de Benoit.

— Ah…

Je lui avais pourtant fait jurer de la donner à personne.

— Puis comment vont les vacances ?

— As-tu le sida ?

— Pardon ?

— As-tu le sida ?

— Pourquoi tu me demandes ça ?

— As-tu passé les tests ?

— Je sais pas de quoi tu parles…

— Papa, faire l'amour entre hommes, tu sais bien. Te protèges-tu ?

— Je sais pas ce que tu veux dire.

— Mets-tu des préservatifs, comme ?

Simon voudrait bien échapper à l'interrogatoire, mais il est prisonnier et son bourreau lui répète :

— Fais-tu attention ?

Encore une fois, il a recours à l'autorité paternelle pour faire taire son fils :

— J'ai pas à discuter avec toi de ma vie privée.

Victor est calme, il est important pour lui de savoir que son père n'a pas le sida afin de démentir Tia.

— Vous êtes bons, les parents. Maman dit que la chicane des parents regarde pas les enfants ; toi, tu dis que j'ai pas d'affaire à te demander si t'as le sida. T'es mon père, je veux pas que tu ramènes le sida à la maison.

— T'as pas de leçons à me donner !

— As-tu attrapé le sida, papa ?

— Non.

— Comment peux-tu le savoir si t'as pas passé les tests ?

— Mais de quoi je me mêle ?

— J'avais une blonde, elle m'a laissé parce qu'elle sait que t'es homosexuel. Puis moi, des blondes, c'est pas ce que j'ai de plus dans la vie…

— Je suis pas homosexuel.

— Bisexuel, je sais.

— Comment tu sais ça ?

— Je suis allé voir sur Internet, c't'affaire, j'ai trouvé des centaines de sites sur la bisexualité.

— Qui disent quoi ?

Simon, trop absorbé par ses histoires de cœur, n'a même pas pensé à faire une recherche sur Internet pour en apprendre davantage sur son orientation.

— Ils disent quoi ?

— Ce que c'est.

— O.K., c'est quoi ?

— J'ai pas tout compris, mais les sexologues, les psychologues, les sociologues disent que c'est pas nouveau, puis qu'y en a pas plus qu'y en avait. Ils sont ce qu'ils sont, puis… T'as ton ordi, va voir. De toute façon, je venais juste te demander si t'avais attrapé le sida. Passe les tests au plus vite, puis tu me le diras, c'est important pour moi, surtout pour ma blonde.

Il se lève, et Simon comprend qu'il veut partir. Il s'approche pour le prendre dans ses bras, hésite, n'ose pas, de peur d'être rejeté. Victor lui tend la main. Ils se sentent ridicules.

— J'aime pas moins ta mère puis toi puis Hortense parce que j'aime une personne qui s'adonne à être un homme.

— Il y a une chose que j'ai pas trouvée sur le Net. C'est-tu héréditaire ?

— Je pense que non.

Victor sent l'angoisse de son père, le désespoir même.

— T'es pas content ?

— Non.

— Ben, t'as juste à revenir comme avant.

Simon sourit. Son adolescent porte encore des traces de sa candeur d'enfant.

— Si c'était aussi simple... Je vais passer les tests tout de suite, je vais t'envoyer un courriel aussitôt que j'aurai les résultats. *Deal ?*

Il lui tend encore la main alors qu'il se meurt de le prendre dans ses bras et de le serrer comme quand il était petit.

Victor hésite un moment. Va-t-il l'embrasser ? L'image de son père embrassant un autre homme le gèle.

— Salut, p'pa.

La porte refermée, Simon se jette sur le lit.

Je suis un monstre. J'avais tout pour être heureux et il a suffi que je suive un instinct animal pour que je foute tout en l'air. Pourquoi j'ai fait ça, pourquoi je veux encore le faire ? Je suis fou ou quoi ? Pourquoi je suis de même ? Ils sont chanceux, ceux pour qui c'est clair dans leur tête qui ils sont. C'est-tu clair pour tout le monde, la sexualité ? Et si c'est pas clair, qu'est-ce qu'on fait pour que ça le soit ? Admettons que je sois bi, est-ce inné ou acquis ? Ça se peut-tu que j'aie été hétéro jusqu'ici et que je sois bisexuel par la suite ? Et si je veux pas l'être, bi, qu'est-ce que je fais ? Et si j'avais attrapé le sida ? Je l'ai pas, Larry est trop propre, trop honnête, trop beau. Je le sentirais si je l'avais. Mais que mon propre fils vienne me faire honte... J'ai eu honte. Je me sens pris à la gorge, étouffé par la culpabilité. J'étais malheureux parce que je ne savais pas qui j'étais, maintenant que je le sais, c'est pire.

Il a raison, Victor, je n'ai qu'à revenir à la maison, faire comme si rien s'était passé. Je pourrai pas oublier que j'ai éprouvé du plaisir, ce serait me nier. Je ne peux pas renoncer à qui je suis, mais je déteste qui je suis. Moi qui ai la réputation d'être un citoyen respectable, bon père de famille, époux modèle, je fais l'amour avec un gars dans les fonds de cour comme un voyou. Si au moins j'aimais plus ma femme, mais je l'aime d'amour et… j'aime Larry. Au début, c'était que du plaisir sexuel, mais ajouté au défendu, à la nouveauté, à la découverte d'un nouveau moi, l'amour est venu. Comment me sortir de ma drogue et est-ce que je le veux vraiment ? Au secours !

Il tombe endormi d'un coup, comme assommé.

***

Ariane ouvre la porte de sa maison à la femme de Larry, Nathalie. Elle semble toute frêle sans son bébé dans les bras, une petite fille démunie.

— Je peux te parler ?

— Oui, j'imagine. Entre. Le bébé ?

— Avec ma mère. Tes enfants ?

— Dehors, les avantages de la banlieue.

Nathalie, native de Montréal, admire la chaleur de la grande maison familiale posée sur une pelouse vert tendre, entourée d'arbres géants. Elle pourrait continuer à s'extasier, mais décide d'entrer dans le vif du sujet comme un bulldozer :

— Ton mari ?

— Il m'a demandé du temps pour réfléchir. Je sais pas où il en est.

— Je sais que c'est effronté de ma part de venir te voir, mais ce sera pas long.

Nathalie lui prend la main, la tient fermement dans la sienne.

— Reprends ton mari, s'il te plaît.

Ariane est surprise, mais aime cette façon qu'a Nathalie d'aller droit au but. Elle la fait entrer dans le salon, l'installe dans le fauteuil rose en cuir et elle s'assoit sur le canapé en U. Le rideau plein jour laisse passer une douce lumière.

— Je le sais pas. Je suis tellement blessée. On avait un contrat entre nous, on s'était juré fidélité à l'église. J'avais confiance… Il a trompé ma confiance. Le pire, c'est qu'il m'ait trompée avec un homme.

Nathalie ne l'écoute pas vraiment. Elle est venue plaider sa cause et elle entend la gagner. Elle la coupe:

— Lawrence est un homme qui aime qu'on l'aime, mais je le crois pas capable d'aimer pour vrai. Que ton mari cesse de l'aimer, il va me revenir. C'est pas son habitude d'avoir un homme et une femme en même temps, c'est un après l'autre d'habitude. Mais mon mari, c'est un séducteur, il peut pas s'en empêcher; j'ai été séduite moi aussi. J'accepte ça, qu'il séduise hommes et femmes sans discrimination, comme il dit, mais quand il s'agit d'amour… Le sexe c'est le sexe, mais l'amour… Moi, au cégep, j'étais *wild*, je prônais la liberté sexuelle, des gars, des filles, j'étais ce qu'on appelle *queer* aujourd'hui. Je me cherchais sexuellement; je me trouvais pas. C'est pour ça que j'ai choisi d'étudier en sexologie pour comprendre ce que peu de gens comprennent, finalement. Ce que j'ai appris, c'est que le sexe, c'est pas l'amour, et l'amour, c'est pas rien que le sexe. J'ai longtemps cru qu'un n'allait pas sans l'autre, je me suis trompée. Lawrence peut m'aimer et faire du sexe avec d'autres…

— T'acceptes que ton mari soit bi ?

— Je l'accepte quand il s'agit d'échanges d'épidermes, mais quand quelqu'un se met à l'aimer, là j'ai peur qu'il se mette à l'aimer en retour. J'ai peur pour moi, pour le bébé, pour notre famille. J'ai peur qu'il nous laisse, moi et le bébé, pour ton mari.

Ariane est bouche bée.

Il y a des épouses qui acceptent que leurs maris les trompent si ce n'est qu'épidermique, comme elle dit.

— Moi, j'accepte pas l'infidélité de Simon. Faut respecter notre contrat. En plus, il me trompe avec un homme. Avec une femme, je dis pas, mais avec un homme ?

Elle se tait, elle est perdue dans ses radotages.

Nathalie pense l'aider en lui parlant de sexologie :

— D'après des données scientifiques, beaucoup d'hommes sont aptes à passer d'une femme à un homme sans problème, des fois simplement parce qu'ils sont privés de femmes, comme dans les prisons, dans les guerres…

Ariane se fout des données scientifiques :

— Je reprends pas mon mari s'il renonce pas à Larry.

— Et tu mets ma famille en danger.

— Tu m'énerves avec tes raisonnements !

— Je comprends.

— Arrête de comprendre ! Je veux pas comprendre les préférences sexuelles de mon mari, je veux que ce soit pas arrivé, je veux qu'on soit heureux comme avant. Je veux…

— … qu'il soit pas lui, qu'il soit un autre, qu'il mette de côté la partie de lui qui est attirée par les hommes ? Il est pas capable, il est bisexuel, c'est un fait. C'est là en lui, cette attirance pour les deux sexes. Tu sais, on a toujours divisé en deux la sexualité humaine, hétéros ou homos, mais par mes lectures et mes études je découvre que c'est trop complexe pour être séparé en deux ou trois. Chaque être humain a sa propre sexualité, complexe, unique.

— Quand même, les hommes ont été créés pour procréer, pour peupler la terre. Ils sont nés hétéros.

— L'hétérosexualité, c'est pas un choix mais une préférence sexuelle. Comme l'homosexualité. Il y a un nombre incalculable de recherches…

Ariane ne veut plus entendre Nathalie. Elle veut des remèdes à sa douleur :

— Mais moi, qu'est-ce que je fais ?

Elle est si malheureuse que Nathalie n'ose plus lui demander d'admettre plus avant ce que la majorité des gens ignorent, ou veulent ignorer : la complexité de la sexualité humaine.

— Je m'excuse, j'aurais pas dû venir te voir.

Elle se lève, consciente de la tristesse d'Ariane. Cette dernière ne la retient pas, mais lui lance avant de la laisser partir :

— L'infidélité, pour moi, c'est une gifle, mais l'infidélité avec une personne du même sexe, c'est un couteau dans le cœur.

Elles se regardent et elles ont pitié l'une de l'autre quand le cri strident d'une ambulance se fait entendre tout près, vraiment près.

***

Dans la minuscule chambre de Simon, Benoit, venu lui faire signer des papiers, meuble le silence comme toujours :

— Je veux pas être attaché par les liens du mariage, j'aurais trop peur de casser la corde. J'aime mieux changer de femmes qu'être malheureux avec la même. Avant, les gens se mariaient pour pouvoir baiser, de nos jours, les gens divorcent pour pouvoir baiser. Non, moi ce que j'aime, c'est la passion, ça dure deux ans au max, mais c'est si bon. Quand elle disparaît, je change de blonde. Comme ça je suis toujours en amour. Mais moi, c'est une fille après l'autre ou deux filles ou…

— Un gars ?

Benoit se demande si Simon connaît son passé de prostitué.

— Je suis hétéro, cent pour cent pur hétéro !

Il recule d'un pas, comme si Simon allait lui sauter dessus. Celui-ci tente de lui expliquer ce qu'il vit :

— Quand une main te touche, ça compte pas d'où vient la main, c'est le toucher qui compte, celui qui t'excite.

— Toucher un gars, ouache !

— Quand on a envie de sexe, on a envie de sexe, que ce soit avec un gars ou une fille. C'est l'appel du sexe avec un grand S. C'est du moins la théorie de Larry. Il semble heureux là-dedans…

Le téléphone de Benoit laisse entendre un air dc strip-tease.

— Allô ! … Euh, oui… Une minute.

Il tend le téléphone à Simon.

Simon hésite, il ne prend pas d'appels, il est en période de réflexion, mais il succombe :

— Allô ? … J'arrive.

Il raccroche.

— Mon père est à l'hôpital.

Dans le corridor encombré de la salle d'urgence, Simon trouve son père étendu sur une civière derrière un paravent. Ariane tient la main de Clément. Benoit, qui déteste les hôpitaux, est resté à la réception de l'urgence. Simon s'affole :

— Qu'est-ce qui est arrivé ?

— Il est sorti faire une marche dans le quartier. Il voulait s'entraîner avec sa canne blanche… Puis j'ai entendu la sirène. Je suis sortie…

Simon repousse sa femme, prend sa place auprès de son père.

— Papa, parle-moi ! Papa… c'est moi. Papa ?

Il se tourne vers Ariane, l'interroge du regard.

— C'est grave, très grave, dit-elle. Il n'en a plus pour longtemps.

Simon se penche au-dessus de Clément et lui prend la tête entre ses mains.

— Papa, m'entends-tu ? Tu peux pas partir comme ça.

Ariane aperçoit Benoit qui vient aux nouvelles. Elle chuchote :

— Qu'est-ce que tu fais ici ?

— Le père de Simon est le seul homme qui s'est occupé de moi, je peux bien…

À quelques pas d'eux, sur sa civière, Clément ouvre enfin les yeux. Il a du mal à parler :

— C'est correct. Ça va être moins de trouble pour vous autres que si je vis jusqu'à cent ans… C'est une bonne chose… Bon débarras.

— P'pa, dis pas ça ! Je te défends…

— C'est moi, le père…

Simon sourit, attendri.

Clément continue :

— Je veux juste te dire… Simon…

Il ferme les yeux, devient blanc comme si son sang le quittait.

— Oui, p'pa. Oui ?

Simon a si souvent entendu dire que les conflits familiaux se règlent sur le lit de mort qu'il aimerait que son père termine sa phrase. Il décide de l'aider à parler :

— Tu veux me dire que tu m'aimes… ?

Clément fait signe que non. Il relève la tête avec effort, murmure :

— Benoit, c'est ton frère. C'est pour ça que je m'en suis occupé. Il le sait pas, que je suis son père…

Simon est sous le choc, mais il réussit à formuler :

— Il est ici, je vais le chercher.

— Non, je veux pas le voir ! Il va me trouver lâche de pas l'avoir reconnu avant. Sa mère l'avait pas donné en adoption. Quand elle est morte, il avait dix-sept ans, je lui ai juré de m'en occuper, de l'aider à se trouver du travail. Je l'ai engagé au magasin. Je veux que tu me promettes…

Ariane, qui s'était rapprochée, a tout entendu et est allée chercher Benoit. Elle le pousse dans les bras de Clément.

Simon est troublé. Il n'est donc pas un enfant unique. Il est à la fois fâché que son père lui ait menti et heureux d'enfin comprendre l'attachement de Clément pour Benoit. Il pleure et il rit. Son père se meurt, mais il gagne un frère, même si un peu de jalousie lui pince le cœur.

Soudain, Clément a une faiblesse. Cette fois, un mince filet de sang coule de sa bouche. Ariane trouve un médecin qui accourt en s'écriant :

— Faites-lui de l'air !

Pendant que le docteur s'active, ils se retrouvent tous dans la salle d'attente. Benoit raconte les bontés de Clément envers lui et comment il s'est mis à regrouper les indices, à douter puis à espérer qu'il soit son père. Il parle, parle. Il est tellement heureux.

Le docteur revient :

— Votre père demande son fils, il lui reste peu de temps à vivre.

Benoit se précipite dans le corridor. Simon le retient, puis lui sourit :

— Ce sera pas long, et je te laisse la place.

— Merci.

Ariane détecte dans les yeux des deux hommes un début de complicité.

En soirée, Ariane revient chez elle, laissant son mari avec son père qui agonise. Elle n'a pas la force de se confier à Victor, et Hortense est trop jeune pour comprendre ce qui se passe entre ses parents. Sa vie est chamboulée. Elle est déçue de ne pas être la seule dans la vie de Simon, déçue, si déçue.

Je vais me retirer de sa vie puisqu'il ne m'aime plus. Ça me semble évident qu'il faut que je le quitte. Évidemment, lui me jure qu'il m'aime aussi, de façon différente, mais moi, est-ce que je veux être aimée à moitié ? Quelle femme veut partager son mari avec quelqu'un d'autre ? S'il quitte Larry, je ne serai pas heureuse parce que ce côté de lui que je ne peux pas combler sera toujours en souffrance. Est-ce que je veux être témoin de sa double identité ? Qu'est-ce que je veux ? L'accepter tel qu'il est, entièrement ? Pas capable ! Juste l'imaginer avec un homme… Mais je l'aime. J'aime l'homme du scénario que j'ai écrit dans ma tête dans ma jeunesse, quand on patinait ensemble en se tenant par la taille, mais j'aime pas ce qu'il est devenu, un bisexuel qui n'arrive pas à décider où est son bonheur.

Simon entre dans la chambre, s'assoit sur le lit, se prend la tête dans les mains comme s'il portait le monde sur ses épaules. Ariane comprend que Clément est mort.

Émue, elle s'assoit près de lui, lui flatte le dos. Il se jette dans ses bras et pleure toutes les larmes qu'il ne s'est jamais permis de verser.

Elle le caresse doucement jusqu'à ce qu'il s'endorme d'épuisement sur le lit conjugal. À minuit, il se réveille en sursaut. Ariane, qui ne dormait qu'à moitié, s'assoit et lui prend la main. Il lui confie, à mi-voix :

— J'étais à genoux, à côté de la civière, je tenais p'pa dans mes bras. Il m'a pris la tête dans ses mains, il m'a embrassé sur la bouche, comme quand il m'embrassait quand j'étais petit. Je me suis souvenu qu'il m'avait embrassé comme ça jusqu'à mes sept ans, puis après qu'il me tendait la main ; pour lui, j'avais plus besoin de caresses, j'étais un homme. Puis là, il a murmuré quelque chose. J'ai dû mettre mon oreille près de sa bouche. J'ai pas entendu ce qu'il a dit. Puis il est mort. Je l'ai bercé, puis en même temps je lui disais que je l'aimais. C'était la première fois que je pouvais lui dire que je l'aimais sans qu'il me crie : « Arrête ça, niaiseux. » Après, je l'ai bourré de becs. Je me suis payé la traite.

Il se tait. Il tente un léger baiser, elle le repousse. Il voudrait bien qu'elle lui laisse de la place dans le lit, mais non, elle résiste à l'émotion qui l'envahit et lui indique la porte doucement mais fermement.

Il sort de la chambre, déconfit, démonté, en morceaux. Il ne prend même pas la peine de faire un lit du canapé du salon. Il s'endort tout habillé.

Les jours suivants, Simon, occupé à calmer sa mère qui ne décolère pas, car elle ignorait la paternité secrète de son mari, à expliquer la mort à ses enfants, à se charger de la sépulture de son père, n'a pas un instant à consacrer à Larry, mais sa pensée ne le quitte pas.

C'est malade de vivre comme je vis. Il n'y a que ma mort qui pourrait régler mon problème.

Après les funérailles, Simon tente de joindre Larry, mais n'y arrive pas. Il se rend à son condo. Nathalie lui apprend que Larry est parti et que c'est très bien ainsi. Sa bisexualité ne lui convient plus.

— D'autres mères s'accommodent de passer d'un genre à l'autre. Pas moi. Tu sais, Simon, j'aime Lawrence d'amour et j'aime faire l'amour avec des femmes, mais j'ai des responsabilités maintenant et je suis pas qu'un sexe, je suis un être humain d'abord et avant tout.

Simon ne l'écoute pas. Il n'a qu'une idée en tête, le retrouver. Il supplie Nathalie de lui donner l'adresse de Larry. Elle cède. Peu de temps après, il est dans Rosemont, rue Garnier, devant la porte d'un multiplex.

Il sonne, sonne. Pas de réponse. Au moment où il décide de partir pour revenir plus tard dans la soirée, la porte s'ouvre sur Larry qui, manifestement, sort du lit.

— Ah non !

— Mon amour, dis-moi un mot, juste un mot.

— Scram !

Larry lui ferme la porte au nez.

Simon passe la nuit à réfléchir dans son auto garée dans la ruelle derrière le magasin.

Au matin, lorsqu'il rentre à la maison, Ariane lui apprend qu'elle a besoin de temps pour comprendre ce qui se passe et lui demande d'accepter que leur couple prenne une année sabbatique.

Il n'est pas surpris, mais terriblement triste. Il tient à la présence de ses enfants dans sa vie. Ariane est inflexible.

Et soudain, les dernières paroles de son père lui reviennent en mémoire.

— Mon père m'a dit : « Tu peux pas contrôler tes désirs, mais tu peux contrôler ce que tu en fais. »

— Voilà ! acquiesce Ariane.

— Voilà… ses dernières volontés.

Ils restent là tous les deux sans se parler. Ils savent que l'année sera dure mais qu'il y a de l'espoir pour leur couple… peut-être.

Qu'est-ce qu'on ferait à leur place ?

Remerciements

À ma famille, qui adore les lancements de mes livres, pour se retrouver, rire, boire, bouffer et faire le party, ce qui m'oblige à écrire un livre par année... au moins.

À mon amoureux, qui me protège, me soigne, m'encourage, m'aime.

À mes amis intimes, qui m'écoutent leur raconter mes projets pour les vingt ans à venir. Ils ne rient même pas de moi.

À André Monette, mon grand complice.

À Johanne Guay, mon éditrice, patronne de Groupe Librex, dont je suis devenue l'amie de cœur tout naturellement. On se fait confiance et on s'aime.

À Patricia Huot, mon attachée de presse la plus... toute. C'est un bonheur de la retrouver chaque fois.

À l'équipe de Librex au complet, une autre famille. Je lui dois tant, tout.

À tous mes lecteurs, lectrices. Quand j'écris, c'est pour être lue par vous, pour communiquer avec vous. Je vous sens fidèles et votre fidélité me comble de joie.

Et un super merci à Michel Dorais, sociologue, professeur de sexualité à l'Université Laval, auteur. Mon maître dès que j'écris sur la sexualité. Il possède la science, moi j'ai l'expérience. On fait un duo du tonnerre.

Merci à la vie.

Cet ouvrage a été composé en Minion 13/15,75
et achevé d'imprimer en octobre 2017 sur
les presses de Marquis Imprimeur, Québec, Canada.

garant des forêts intactes[MC]

procédé sans chlore

100 % post-consommation

archives permanentes

énergie biogaz

Imprimé sur du Rolland Enviro 100 % postconsommation,
fabriqué à partir de biogaz, traité sans chlore,
certifié FSC et garant des forêts intactes.